LA MUSIQUE D'UNE VIE

Tout commence par un extraordinaire tableau, lourd de significations : celui d'une gare perdue dans le « fouillis blanc de la tempête », au milieu de l'Oural. Des dizaines de voyageurs crottés de neige, résignés, blottis contre les radiateurs, attendent depuis on ne sait quand un train pour Moscou. Apparaît alors un vieux pianiste, Alexeï Berg, émanation de cette foule obscure dont il révélera l'intériorité. Alexeï Berg qui, pour sauver sa vie et son âme, a dû prendre le nom d'un autre, celui d'un soldat mort, et qui de bout en bout a su rester fidèle à une certaine musique intérieure. Ce « roman-destin » est ainsi une réhabilitation – toute en nuances – de l'homme russe, de sa capacité de résistance mentale.

Un roman bref et vigoureux qui, plus que jamais, situe Andreï Makine dans le fil de la grande tradition russe. On pense aux romans courts de Tolstoï, *La Mort d'Ivan Illitch, Maître et Serviteur...*

Andreï Makine, né en Sibérie, a publié de nombreux romans, parmi lesquels : Le Testament français *(prix Goncourt et prix Médicis 1995),* Le Crime d'Olga Arbélina, Requiem pour l'Est *et* La Musique d'une vie *(prix RTL-Lire 2001).*

Andreï Makine

LA MUSIQUE
D'UNE VIE

ROMAN

Éditions du Seuil

TEXTE INTÉGRAL

ISBN : 2-02-054285-4
(ISBN 2-02-048343-2, 1ʳᵉ publication)

www.seuil.com

Je pourrais sans peine dater cette rencontre. Elle remonte déjà à un quart de siècle. Plus précisément, à l'année où ce philosophe célèbre, réfugié à Munich, proposa une définition devenue vite à la mode, un terme que les penseurs, les politiciens et même les simples mortels allaient utiliser pendant au moins une bonne décennie, et cela dans le monde entier. L'extraordinaire succès de sa formule tenait à un mérite évident : en deux mots latins le philosophe avait réussi à décrire la vie des deux cent quarante millions d'êtres humains qui peuplaient, à l'époque, le pays où je suis né. Femmes, hommes, enfants et adultes, vieux ou nouveau-nés, morts ou vivants, malades ou en bonne santé, innocents ou assassins, savants ou incultes, ouvriers au fond des mines de charbon, cosmonautes sur leur parcours céleste, eux et des milliers d'autres catégories, tous se trouvaient rattachés par ce terme novateur à une essence commune. Tous commençaient à exister sous un nom générique.

Avant et après cette heureuse trouvaille, on n'a cessé d'inventer des mots pour évoquer le pays en question. « L'empire du mal », « la barbarie à visage humain », « l'empire éclaté »... Chacun de ces vocables marqua, pour un temps, les esprits en Occident. Cependant, c'est la définition du philosophe munichois qui fut de loin la plus citée et la plus vivace.

A tel point que, à peine quelques mois après la naissance de la formule, je l'entendis dans la bouche d'un ami, vivant comme moi sur les bords de la Néva et qui, en cachette comme tant d'autres, écoutait les radios occidentales et avait capté une interview du philosophe. Oui, à tel point qu'en revenant d'un voyage en Extrême-Orient, et retenu par une tempête de neige quelque part au milieu de l'Oural, je me souvins de ce terme célébré en Occident et prohibé dans notre pays. Durant une partie de la nuit, je m'exerçai à l'appliquer aux passagers qui m'entouraient

dans la salle d'attente d'une gare glaciale et obscure. Le terme inventé par le philosophe faisait
preuve d'une efficacité conceptuelle redoutable.
Il englobait la vie des personnes les plus variées :
ces deux soldats qui buvaient à tour de rôle, au
goulot, cachés derrière une colonne, ce vieillard
qui, par manque de sièges, dormait sur un journal déplié, le long d'un mur, cette jeune mère
dont le visage paraissait légèrement éclairé par une
bougie invisible, cette prostituée qui guettait près
d'une fenêtre obstruée de neige, et tant d'autres.

Perdu au milieu de mes semblables, endormis ou insomniaques, je faisais mentalement
l'éloge de la sagacité du philosophe... Et c'est
à ce moment-là, au cœur d'une nuit coupée du
reste du monde, que cette rencontre eut lieu.

Depuis, un quart de siècle a passé. L'empire
dont on avait prédit l'éclatement est tombé. La
barbarie et le mal se sont manifestés aussi sous
d'autres cieux. Et la formule trouvée par le philosophe de Munich (il s'agit bien sûr d'Alexandre
Zinoviev), cette définition presque oubliée aujour-
d'hui, me sert uniquement de signet, marquant
dans le flux limoneux des ans l'instant de cette
brève rencontre.

Je m'éveille, j'ai rêvé d'une musique. Le dernier accord s'éteint en moi pendant que je m'efforce de distinguer la pulsation des vies entassées dans cette longue salle d'attente, dans ce mélange de sommeil et de fatigue.

Le visage d'une femme, là, près de la fenêtre. Son corps vient de faire jouir encore un homme, ses yeux cherchent parmi les passagers son prochain amant. Un cheminot entre rapidement, traverse la salle, sort par la grande porte donnant sur les quais, sur la nuit. Avant de se refermer, le battant jette dans la salle un violent tourbillon de neige. Ceux qui sont installés près de la porte remuent sur leur siège étroit et dur, tirent le col de leur manteau, secouent frileusement les épaules. De l'autre bout de la gare parvient un esclaffement sourd, puis le crissement d'un éclat de verre sous un pied, un juron. Deux soldats, chapka rejetée sur la nuque, capote déboutonnée, se frayent un passage à travers la masse de corps recroquevillés. Des ronflements se répondent, certains comiquement accordés. Un criaillement d'enfant très distinct se détache de l'obscurité, s'épuise en petites plaintes de succion, se tait. Une longue dispute émoussée par l'ennui se poursuit derrière l'une des colonnes qui soutiennent une galerie en bois verni. Le haut-parleur, sur le mur, grésille, chuinte et soudain, d'une voix étonnamment attendrie, annonce le retard d'un train. Une houle de soupirs parcourt la salle. En vérité, personne n'attend plus rien. «Six heures de retard…» Ce pourrait être six jours ou six semaines. L'engourdissement revient. Le vent fouette les fenêtres de lourdes rafales blanches. Les corps se calent contre la raideur des sièges, les inconnus se serrent les uns contre les autres, telles les écailles d'une même carapace. La nuit confond les dormeurs dans une seule masse vivante – une bête goûtant par toutes ses cellules la chance de se trouver à l'abri.

De ma place je vois mal l'horloge accrochée au-dessus des guichets. Je tords mon poignet, le cadran de ma montre saisit le reflet de l'éclairage de nuit : une heure moins le quart. La prostituée est toujours à son poste, sa silhouette se découpe sur la vitre bleuie par la neige. Elle n'est pas grande, mais très large de hanches. Elle surplombe les rangs des voyageurs endormis comme un champ de bataille couvert de morts... La porte qui donne sur la ville s'ouvre, les nouveaux arrivants apportent le froid, l'inconfort des espaces balayés par les bourrasques. Le magma humain frissonne et, à contrecœur, accueille ces nouvelles cellules.

Je me secoue, en essayant de m'arracher à ce conglomérat de corps. D'arracher ceux qui m'entourent à l'indistinction de la masse. Ce vieillard qui vient d'arriver et qui, sans prétendre à un fauteuil dans cette gare bondée, étale un journal sur les carreaux du sol souillés de mégots et de neige fondue, s'allonge, le dos contre le mur. Cette femme dont le châle dissimule les traits et l'âge, un être inconnaissable noyé dans un gros manteau informe. Il y a un instant, elle a parlé à travers son sommeil : quelques mots suppliants

15

venus sans doute des années très lointaines de sa vie. « L'unique indice humain qui me restera d'elle », me dis-je. Cette autre femme, cette jeune mère inclinée vers le cocon de son bébé qu'elle semble envelopper d'un halo invisible fait d'inquiétude, d'étonnement, d'amour. A quelques pas d'elle, la prostituée, en train de négocier avec les soldats : le bafouillis excité des deux hommes et son chuchotement un peu méprisant mais chaud et comme mouillé de goûteuses promesses. Les bottes des soldats piétinent sur les dalles, on devine, physiquement, l'impatience que provoque ce corps à la croupe large et lourde, à la poitrine qui bombe le manteau... Et, presque à la hauteur des bottes, le visage d'un homme qui, à moitié glissé de son siège, la tête renversée, dort, la bouche entrouverte, un bras touchant le sol. « Un mort sur un champ de bataille », me dis-je de nouveau.

L'effort que je fais pour sauver de ce tout anonyme quelques silhouettes individuelles faiblit. Tout se confond dans l'obscurité, dans la luminescence trouble, jaune sale, du lampadaire au-dessus de la sortie, dans le néant qui s'étend à perte de vue autour de cette ville ensevelie sous une tempête de neige. « Une ville de l'Oural », me dis-je, essayant d'attacher cette gare à un lieu, à une direction. Mais cette velléité géographique se révèle dérisoire. Un point noir perdu dans un océan blanc. Cet Oural qui s'étend sur deux mille ? trois mille kilomètres ? cette ville, quelque part au milieu, et, à l'est, l'infini sibérien, l'infini de cet enfer de neige. Au lieu de les situer, ma pensée égare et cette ville et sa gare sur une planète blanche, inhabitée. Les ombres humaines que je distinguais autour de moi se fondent de nouveau dans une seule masse. Les respirations se mêlent, le marmonnement des récits nocturnes s'éteint dans le soufflement du sommeil. Le murmure de la berceuse que récite plus que ne chantonne la jeune mère me parvient en même temps que le chuchotement des soldats qui emboîtent le pas à la prostituée. La porte se referme derrière eux, la vague de froid traverse la salle. Le murmure de la jeune mère se colore d'un voile de buée. L'homme qui dort la tête renversée émet un long râle et, réveillé par sa propre voix, se redresse brusquement sur son siège, fixe longuement l'horloge, se rendort.

Je sais que l'heure qu'il vient de voir n'avait

aucune signification. Il n'aurait pas manifesté plus d'étonnement en constatant qu'une nuit entière s'est écoulée. Une nuit ou deux. Ou un mois. Ou toute une année. Néant de neige. Plus vague qu'un nulle part. Une nuit sans fin. Une nuit rejetée sur le bas-côté du temps...

Soudain, cette musique ! Le sommeil se retire comme le rouleau d'une vague dans laquelle un enfant tente d'attraper un coquillage entrevu et moi, ces quelques notes que je viens de rêver.

Un froid plus vif : la porte vient de battre deux fois. D'abord, les soldats qui entrent et plongent dans l'obscurité. On entend leurs ricanements. Quelques minutes plus tard, la prostituée... Mon sommeil avait donc la durée de... de leur absence. « De leur accouplements ! » s'exclame en moi une voix agacée par la pudibonderie de cette « absence ».

C'est bien l'endroit pour rêver de musique. Je me souviens qu'au début de la nuit, quand il y avait encore un mince espoir de repartir, je suis sorti sur le quai avec ce calcul superstitieux : provoquer l'arrivée d'un train en narguant le froid. Courbé sous la violence des bourrasques,

aveuglé par la mitraille des flocons, j'ai longé
le bâtiment de la gare, hésité à m'engager plus
loin tant l'extrémité du quai ressemblait déjà à
une plaine vierge. Puis, apercevant un carré de
lumière incertaine dans l'une des annexes noyées
entre les dunes de neige, je me suis remis à marcher, ou plutôt à me balancer comme sur des
échasses, m'enfonçant jusqu'aux genoux, cherchant à mettre le pied dans les pas, presque effacés, qui avaient suivi la même direction. La porte,
à côté de la petite fenêtre éclairée, était fermée.
J'ai fait quelques pas vers les voies déjà invisibles
sous la neige, espérant au moins un mirage – le
projecteur d'une locomotive dans le fouillis blanc
de la tempête. Seule consolation, en tournant le
dos au vent, j'ai retrouvé la vue. C'est ainsi que,
soudain, j'ai surpris cet homme. J'ai eu l'impression qu'il avait été éjecté de la petite annexe. La
porte, bloquée par la neige, lui avait résisté et,
pour sortir, il avait dû se jeter sur elle de tout son
poids. Plusieurs fois peut-être. La porte avait fini
par céder et il avait basculé dehors, dans la nuit,
dans la tempête, le visage souffleté par les rafales,
les yeux éblouis par les flocons, perdant tout
sens de l'orientation. Désemparé, il lui a fallu un

moment pour refermer cette porte dont le bas chassait une épaisse couche de neige. Durant ces quelques secondes où il poussait le battant, j'ai vu l'intérieur du petit local. Une sorte d'entrée, inondée par la lumière vive, couleur citron, de l'ampoule nue, et, derrière, une pièce. C'est encadrés par le chambranle que j'ai vu cet éclair de nudité très lourde, la blancheur massive du ventre, mais surtout ce geste rude d'une main qui empoignait un sein, puis un autre, ces énormes seins usés par les caresses brutales, et les fourrait dans le soutien-gorge... Mais déjà avec un criaillement de panique surgissait au seuil de l'entrée une femme emmitouflée dans une veste ouatée (la gardienne de cet entrepôt, me suis-je dit, qui le sous-loue pour ces amours ferroviaires) et la porte se refermait dans un battement rageur...

La masse humaine dort. L'unique bruit nouveau est ce mâchonnement dans l'obscurité : le vieil homme étendu sur un journal s'est redressé sur un coude, a ouvert une boîte de conserve, et il mange avec une série de lapements comme font ceux qui n'ont plus beaucoup de dents. Le fracas métallique du couvercle refermé me fait grimacer par sa laideur rêche. L'homme se couche, cherche une position confortable dans le froissement des pages de journal et bientôt commence à ronfler.

Le jugement que j'essayais de retenir m'envahit, à la fois compassion et colère. Je pense à ce magma humain qui respire comme un seul être, à sa résignation, à son oubli inné du confort, à son endurance face à l'absurde. Six heures de retard. Je me tourne, j'observe la salle plongée dans l'obscurité. Mais ils pourraient très bien y passer encore plusieurs nuits. Ils pourraient s'habituer à y vivre ! Comme ça, sur un journal déplié, le dos contre le radiateur, avec une boîte de conserve pour toute nourriture. La supposition me paraît tout à coup vraisemblable. Un cauchemar très vraisemblable. D'ailleurs, la vie dans ces bourgades à mille lieues de la civilisation est faite d'attentes, de résignation, de chaleur humide au fond des chaussures. Et cette gare assiégée par la tempête n'est rien d'autre que le résumé de l'histoire du pays. De sa nature profonde. Ces espaces qui rendent absurde toute tentative d'agir. La surabondance d'espace qui engloutit le temps, qui égalise tous les délais, toutes les durées, tous les projets. Demain signifie « un jour, peut-être », le jour où l'espace, les neiges, le destin le permettront. Le fatalisme…

Je parcours, plutôt par dépit, ces sentiers battus du caractère national, ces questions maudites de la russité abordées par tant de têtes pensantes. Un pays en dehors de l'Histoire, le pesant héritage de Byzance, deux siècles de joug tatare, cinq siècles de servage, révolutions, Staline, *East is East*…

Après ces quelques tours de piste, la réflexion retombe dans l'obtuse bonhomie du présent et se tait, impuissante. Ces belles formules expliquent tout et n'expliquent rien. Elles s'effacent devant l'évidence de cette nuit, de cette masse endormie qui dégage une odeur de manteaux mouillés, de corps las, d'alcool cuvé et de conserves tièdes. D'ailleurs comment juger ce vieillard sur son journal déplié, cet être touchant dans sa résignation, insupportable pour la même raison, cet homme qui a certainement traversé les deux grandes guerres de l'empire, survécu aux répressions, aux famines, et qui ne pense même pas avoir mérité mieux que cette couche sur le sol couvert de crachats et de mégots ? Et cette jeune mère qui vient de s'endormir et, de madone, est

devenue une idole de bois aux yeux bridés, aux
traits de bouddha? Si je les réveillais et les inter-
rogeais sur leur vie, ils déclareraient sans bron-
cher que le pays où ils vivent est un paradis, à
quelques retards de train près. Et si soudain
le haut-parleur annonçait d'une voix d'acier le
début d'une guerre, toute cette masse s'ébranle-
rait, prête à vivre cette guerre comme allant de
soi, prête à souffrir, à se sacrifier, avec une acceptation toute naturelle de la faim, de la mort ou de
la vie dans la boue de cette gare, dans le froid des
plaines qui s'étendent derrière les rails.

Je me dis qu'une telle mentalité a un nom.
Un terme que j'ai entendu récemment dans la
bouche d'un ami, auditeur clandestin des radios
occidentales. Une appellation que j'ai sur le bout
de la langue et que seule la fatigue m'empêche de
reproduire. Je me secoue et le mot, lumineux et
définitif, éclate : « *Homo sovieticus!* »

Sa puissance jugule l'amas opaque des vies
autour de moi. « *Homo sovieticus* » recouvre entiè-
rement cette stagnation humaine, jusqu'à son
moindre soupir, jusqu'au grincement d'une bouteille sur le bord d'un verre, jusqu'aux pages
de la *Pravda* sous le corps maigre de ce vieillard

dans son manteau usé, ces pages remplies de comptes-rendus de performances et de bonheur.

Avec une délectation puérile, je passe un moment à jouer : le mot, véritable mot-clef, oui une clef ! glisse dans toutes les serrures de la vie du pays, parvient à percer le secret de tous les destins. Et même le secret de l'amour, tel qu'il est vécu dans ce pays, avec son puritanisme officiel et, contrebande presque tolérée, cette prostituée qui exerce son métier à quelques mètres des grands panneaux à l'effigie de Lénine et aux mots d'ordre édifiants...

Avant de m'endormir, j'ai le temps de constater que la maîtrise de ce mot magique me sépare de la foule. Je suis comme eux, certes, mais je peux nommer notre condition humaine et, par conséquent, y échapper. Le faible roseau, mais qui se sait tel, donc... « La vieille et hypocrite astuce de l'intelligentsia... », souffle en moi une voix plus lucide, mais le confort mental que m'offre l'« *Homo sovieticus* » fait vite taire cette contestation.

La musique ! Cette fois, j'ai le temps de saisir l'écho des dernières notes, comme un fil de soie à la sortie du chas. Je reste quelques instants sans bouger, guettant une nouvelle sonorité au milieu de la torpeur des corps endormis. Je sais maintenant que je n'ai pas rêvé, j'ai même à peu près compris d'où venait la musique. Ce n'était d'ailleurs que de brefs éveils de clavier, très espacés, assourdis par l'encombrement des couloirs, effacés par les ronflements.

Je regarde ma montre : trois heures et demie. Plus que l'heure et le lieu où naît cette musique, c'est son détachement qui me surprend. Elle rend parfaitement inutile ma colère philosophique d'il y a quelques minutes. Sa beauté n'invite pas à fuir l'odeur des conserves et de l'alcool qui stagne au-dessus de l'amoncellement des dormeurs. Elle marque tout simplement une frontière, esquisse un autre ordre des choses. Tout s'éclaire soudain d'une vérité qui se passe de mots : cette nuit égarée dans un néant de neige, une centaine de passagers recroquevillés – chacun paraissant souffler tout doucement sur l'étincelle fragile de sa vie –, cette gare aux quais disparus, et ces notes qui s'instillent comme des instants d'une nuit tout autre.

Je me lève, je traverse la salle et je monte par

le vieil escalier de bois. En tâtonnant, je parviens jusqu'à la baie vitrée du restaurant. Le noir est complet. La main glissant sur le mur, j'aboutis dans un cul-de-sac, trébuche sur une pile de couvertures des wagons-lits, décide d'abandonner mes recherches. Un accord très lent vibre longuement à l'autre bout du couloir. Je m'y dirige, guidé par l'épuisement du son, je pousse une porte et me retrouve dans un passage où filtre déjà un peu de lumière. Rangés contre les murs, se dressent les drapeaux, les pancartes avec les portraits des dirigeants du Parti, tout l'attirail des manifestations. Le passage donne accès à une pièce encore plus encombrée. Deux armoires aux portes ouvertes, des pyramides de chaises, des piles de draps. Derrière les armoires brille un faisceau de lumière. Je m'avance avec l'impression de rattraper le bout d'un songe et de m'y installer. Un homme, que je vois de profil, est assis devant un grand piano à queue, une valise aux angles nickelés posée près de sa chaise. Je pourrais le prendre pour le vieillard qui dormait sur les pages de sa *Pravda*. Il est vêtu d'un manteau semblable, plus long peut-être, il porte la même chapka noire. Une torche électrique, laissée à

gauche du clavier, éclaire les mains de l'homme.
Il a des doigts qui n'ont rien à voir avec les doigts
d'un musicien. De grosses phalanges rudes, bos-
selées, couvertes de rides brunies. Ces doigts se
déplacent sur le clavier sans appuyer, marquent
des pauses, s'animent, accélèrent leur course
silencieuse, s'emportent dans une fuite fiévreuse,
on entend le claquement des ongles sur le bois
des touches. Soudain, au plus fort de ce vacarme
muet, une main, ne se maîtrisant plus, s'abat sur
le clavier, une gerbe de notes fuse. Je vois que
l'homme, amusé sans doute par cette maladresse,
interrompt ses gammes inaudibles et se met à
pousser de petits rires chuchotés, des petits glous-
sements de vieillard espiègle. Il lève même une
main et la plaque contre sa bouche pour retenir
ces toussotements de rire... Tout à coup, je com-
prends qu'il pleure.

Je recule à pas inégaux, hésitants, une main
derrière le dos pour trouver la porte. Déjà tout
près de la sortie, mon pied heurte la hampe d'un
drapeau qui tombe, entraînant dans une bruyante
réaction en chaîne toute une kyrielle de portraits
sur leurs longues perches... Le faisceau de la
torche électrique balaie le mur et m'éblouit.

L'homme le baisse aussitôt vers mes pieds, comme pour s'excuser de m'avoir aveuglé. Une seconde de silence gêné me permet d'apercevoir sur son front la profonde cannelure d'une blessure blanchie par le temps, et ses larmes. Je bafouille en détournant les yeux :

— Je venais chercher une chaise. C'est vraiment bondé en bas...

L'homme éteint sa torche et c'est dans l'obscurité que j'entends ses paroles mais surtout ce bref frottement qui me laisse deviner son geste : d'une manche de son manteau il essuie rapidement ses yeux.

— Ah, mais des chaises, il y en a ici tant qu'on veut. Seulement, faites attention, la plupart ont des pieds cassés. Moi, j'ai tout un divan à moi, avec quelques ressorts à nu, il est vrai...

Je me rends compte que l'obscurité n'est pas complète dans cette pièce. Ses deux fenêtres se découpent dans le noir, éclairées par un réverbère, par les incessantes tornades de neige qui s'entortillent autour de la coulée de lumière. Je vois la silhouette de l'homme qui contourne les armoires, disparaît dans un recoin d'où parvient le crissement aigu des ressorts.

– Si d'aventure ils annoncent un train, réveillez-moi, s'il vous plaît, dit-il de son divan.

Et il me souhaite bonne nuit. Je tire une chaise, m'installe au milieu des portraits épar-pillés, décidé à faire semblant jusqu'au bout : je serais venu juste pour chercher une chaise, je n'aurais pas surpris ses larmes…

Je le feins si bien que très vite je m'endors, pris dans ce violent sommeil du petit matin après une nuit blanche. C'est le pianiste qui me réveille, sa main sur mon épaule, la petite torche projetant sur le mur les ombres des chaises enchevêtrées, d'un portemanteau, du couvercle relevé du piano…

– Ils viennent d'annoncer le train pour Mos-cou ! Si c'est le vôtre, il faut vous dépêcher, ça va être la prise de Kazan.

Il a raison. C'est un assaut. Un chassé-croisé de visages, un va-et-vient de grosses valises, des cris, des piétinements dans les tranchées qui creusent l'épaisseur de la neige sur les quais. Au milieu de la bousculade, je perds rapidement de vue l'homme qui vient de me réveiller. Un contrôleur coupe mon élan dès le marchepied de la voiture où je voulais monter : « On est déjà

serrés comme des sardines, vous ne voyez pas?»
La porte de la suivante est verrouillée. Autour de
la troisième s'attroupe une foule d'où s'élève
une rumeur tantôt plaintive, tantôt menaçante.
Le contrôleur vérifie les billets, accepte de rares
chanceux selon des critères qu'apparemment lui-
même ne saurait expliquer. Trébuchant dans la
neige trouée de pas, je me précipite le long du
convoi. Une vieille, enlisée dans une congère, se
lamente d'avoir laissé tomber ses lunettes. Un
soldat, à genoux, fouille la neige à la manière des
chiens. Son camarade à quelques mètres de là
urine contre le poteau d'un réverbère. Le premier
repêche les lunettes avec une longue bordée de
jurons triomphants...

Je piétine d'une voiture à l'autre, de plus
en plus sûr de devoir passer encore une journée
dans cette ville-piège. Mes jugements nocturnes
reviennent, ravivés par le froid, par la colère :
« *Homo sovieticus!* Tout est dit. On leur propo-
serait maintenant de grimper sur les toits ou,
pire que ça, de courir derrière le train, pas un ne
rouspéterait... *Homo sovieticus!* »

Tout à coup ce sifflement. Non pas le sifflet
du train. Un bref sifflement de voyous, un appel

perçant, autoritaire et destiné à un complice. Je lève la tête au-dessus de la foule qui assaille les marchepieds. Au bout du convoi, je vois le pianiste qui agite le bras.

– Ils la rajoutent parfois, surtout en cas de retard comme celui-là, m'explique-t-il quand nous nous installons dans cette vieille voiture de troisième classe. On n'aura pas chaud, mais, vous verrez, le thé est même meilleur ici...

C'est à peu près tout ce qu'il me dit durant la journée. Son concert nocturne me paraît déjà à peine réel. De toute façon, l'interroger sur cette musique silencieuse serait avouer que je l'ai vu pleurer. Donc... Étendu sur le bois nu de la couchette, je me mets à imaginer le campement humain que j'ai observé, cette nuit, dans la salle d'attente et qui à présent vit, sans y prêter la moindre attention, une expérience fabuleuse : le passage d'Asie en Europe ! L'Europe... Derrière la fenêtre, dans le petit rectangle que le givre a laissé libre, défile toujours le même infini des neiges, à perte de vue, impassible devant l'avancée essoufflée du train. Le vallonnement blanc des forêts. Un fleuve sous la glace, immense, gris, faisant penser à un bras de mer. Et de nouveau le sommeil de la planète blanche, inhabitée. Je me tourne légèrement, je regarde le vieil homme qui reste immobile sur la couchette d'en face, les paupières closes, les doigts noués sur la poitrine. Ces doigts qui savent jouer des mélodies muettes. Pense-t-il à l'Europe ? Se rend-il compte que nous approchons de la civilisation, des villes où le temps peut avoir une excitante valeur de jeu social, d'échanges d'idées, de rencontres ? Où l'espace est apprivoisé par l'architecture, incurvé par la vitesse d'une autoroute, humanisé par le sourire d'une cariatide dont on voit le visage par la fenêtre de mon appartement, non loin de la Nevski ?

Curieusement, c'est sur la beauté de certaines rues que notre conversation finit par s'engager, déjà vers le soir. Nous venons de quitter une grande ville sur la Volga. Le convoi a été reformé et j'ai même craint un instant qu'on nous abandonne sur une voie de garage. Il y a beaucoup de place libre, comme si les gens dédaignaient de monter dans cette voiture archaïque de troisième.

Mon compagnon se lève, apporte deux verres. En apprenant que je connais bien Moscou, il s'anime, me parle de la capitale avec une pré-

cision inattendue, avec un attachement sentimental pour telle rue, telle station de métro.
« L'attachement d'un provincial, me dis-je, qui a
vécu dans la capitale et qui aime épater ses inter-
locuteurs par l'originalité de son guide personnel. » Mais, plus il parle, plus je constate que
sa Moscou est une ville bien étrange, avec des
lacunes évidentes, avec des entrelacs de rues aux
endroits où ma mémoire voit de larges avenues et
esplanades. Plus attentif, je relève dans son récit
quelques à-coups que l'homme essaie d'éviter
tantôt en s'interrompant à mi-mot, tantôt en
racontant une anecdote. « Avant la guerre… »,
« dans les années trente… », ces marques du passé
lui échappent et me laissent deviner qu'il se pro-
mène dans une ville qui n'existe plus. Il finit par
s'en rendre compte, se tait. Son oreille doit détec-
ter dans ce moment de gêne la même tonalité que
cette nuit, quand je l'ai surpris au piano. Pour
changer de sujet, je me mets à maudire le temps,
les retards qui me font manquer, à Moscou, ma
correspondance. Nous préparons notre dîner :
des œufs durs que je tire de mon sac, le pain qu'il
dit avoir dans sa valise. Il sort un paquet, le défait.
Une demi-miche de pain noir. Mais c'est l'em-

ballage qui attire mon regard – des feuilles frois-
sées de vieilles partitions. Il lève les yeux sur
moi, puis se met à lisser les pages avec le rude
tranchant de sa main. Ses paroles n'ont plus le
ton d'un promeneur sentimental, comme tout à
l'heure. Pourtant, il parle toujours des mêmes
ruelles moscovites et d'un jeune homme (« Je me
croyais alors le plus heureux du monde », dit-il
avec une amertume souriante), un jeune homme
portant une chemise claire trempée par une
averse de mai, un jeune homme qui s'arrête
devant une affiche et, le cœur battant, lit son
nom : Alexeï Berg.

Avant, sur ces affiches, il cherchait le nom de son père, auteur dramatique, et aussi de temps en temps le nom de Victoria Berg, sa mère, lorsqu'elle donnait des récitals. Ce jour-là, pour la première fois, c'était son nom à lui qu'on annonçait. Son premier concert, dans une semaine, le 24 mai 1941.

L'averse avait rendu le papier presque transparent, laissant lire l'affiche précédente (une compétition de sauts en parachute), le profil de Tchaïkovski, gondolé, ressemblait à celui d'un fou du roi. D'ailleurs le concert allait avoir lieu dans la maison de la culture de l'usine de roulements à billes. Mais rien de tout cela ne pouvait gâcher son plaisir. Le bonheur qu'irradiait ce papier d'un bleu délavé était beaucoup plus complexe qu'une simple fierté. Il y avait la joie de cette soirée lumineuse et humide qui apparaissait, telle la fraîcheur d'une décalcomanie, sous l'orage en recul. Et l'odeur du feuillage dans le poudroiement ensoleillé des gouttes. La joie de ces rues noircies par la pluie qu'il suivait, d'un pas distrait, en allant des abords de la ville où se trouvait la maison de la culture vers le centre. Même la salle où il allait jouer, une salle aux murs recouverts de photos de machines-outils et dont l'acoustique laissait à désirer, lui avait paru festive, aérienne.

Moscou, ce soir-là, était aérienne. Légère sous ses pas dans le lacis des ruelles qu'il connaissait par cœur. Légère et fluide dans ses pensées. S'arrêtant une minute sur le Pont de pierre, il regarda le Kremlin. Le ciel mouvant, gris-bleu, donnait à ce faisceau de coupoles et de créneaux un air instable, presque dansant. Et, à gauche, la vue basculait dans un immense vide qu'avait laissé la cathédrale du Christ-Sauveur dynamitée quelques années auparavant.

Quelques années... Reprenant sa marche, Alexeï essaya de se rappeler la suite de ces années. La cathédrale avait été détruite en 1934. Il avait quatorze ans. Merveilleuse excitation de sentir le trottoir tressaillir après chaque explosion! C'étaient les années de bonheur. 1934, 35, 36... Puis, soudain, tombe cette longue quarantaine, comme aux temps des épidémies. La ville s'alourdit autour de leur famille. Un soir, en grimpant l'escalier, il entend le chuchotement d'un homme qui, un étage plus haut, monte pesamment, perdu dans un soliloque presque muet mais fiévreux. « Non, non, vous ne pouvez pas m'accuser... et les preuves... les preuves... » Alexeï saisit ces bribes, ralentit le pas, gêné par cette confidence volée, et, tout à coup, reconnaît son père. Ce petit vieux marmonnant, son père!... La quarantaine dure. Certains mots deviennent imprononçables. Le *Dictionnaire du théâtre* que son père a publié au début des années trente est retiré de toutes les bibliothèques. Certains noms qu'il y citait doivent disparaître car viennent de disparaître ceux qui les avaient portés. Pendant les cours, Alexeï observe de rapides manœuvres d'échecs : ses camarades se déplacent pour ne pas rester assis à côté de lui. « Ils roquent », pense-t-il avec aigreur. A la sortie, ils s'écartent de lui, fuient sur des trajectoires souples comme des skieurs dans une descente semée d'obstacles. Il a l'impression que les gens qu'il croise, au conservatoire, sont tous devenus bigleux, ils louchent pour esquiver son regard. Leurs visages lui rappellent ces masques qu'il a vus dans un livre d'histoire, d'effrayants masques à long nez dont s'affublaient les habitants des villes envahies par la peste. Ses amis répondent à son salut, mais de biais, furtivement, en détournant la tête, et cette esquive – mi-profil, mi-face – étire leur nez en long dard incurvé d'insecte. Et ils balbutient un prétexte pour partir et soupirent comme s'ils humaient les herbes aromatiques dont on garnissait ces masques anti-peste... Au cours de l'hiver 39, il surprend le conciliabule de ses parents, puis, en pleine nuit, les voit mettre leur plan à exécution. Dans le fourneau de la cuisine, ils brûlent le vieux violon de son père. Le maréchal Toukhatchevski, ami de la maison et bon violoniste, avait joué deux ou trois fois, après le dîner, pour leurs invités. Il est exécuté en 37 et le petit violon au vernis craquelé se transforme en une terrible pièce à conviction... Ils la brûlent, cette nuit-là, en redoutant l'arrestation, les interrogatoires. Dans l'affolement, le père oublie de relâcher les cordes et Alexeï, à l'affût derrière la porte entrouverte de sa chambre, entend le rapide arpège des cordes rompues par le feu... Depuis cette nuit, l'air qu'ils respirent commence à s'alléger. On rejoue une pièce de son père. Très rarement encore, on revoit sur les affiches le nom de sa mère. Durant l'année 1940, Alexeï rencontre de plus en plus de regards droits. Une sorte de guérison oculaire, dirait-on. Il fête le réveillon en compagnie de ces faux bigleux. L'un des tangos qu'ils dansent ce soir s'appelle *Le Regard de velours*. Grâce aux années de peur et d'humiliation, il devine ce que valent la langueur de ce « velours » et les regards de celles qu'il tient dans ses bras. Mais il n'a que vingt et un ans et un vertigineux retard de tangos, d'étreintes, de baisers à rattraper. Et il est farouchement décidé à le rattraper, même s'il fallait, pour cela, oublier la nuit, l'odeur du vernis brûlé, le bref gémissement des cordes dans les flammes.

Il s'éloigna du Kremlin, plongea sous les branches, lourdes de pluie, sur les boulevards. L'histoire du violon, la terreur nocturne, les années de sa solitude de pestiféré lui revenaient encore de temps en temps mais surtout pour aiguiser le bonheur qu'il vivait à présent. Le chuchotement des parents dans la nuit et l'odeur âcre du vernis brûlé, voilà tout ce qui restait de ces trois années noires – 37, 38, 39. Peu de chose à côté des plaisirs si variés dont sa vie s'était remplie depuis. Tiens, cette chemise mouillée qui collait à sa poitrine, cette seule jouissance de sentir son corps jeune, souple, musclé effaçait l'angoisse de ces années d'épidémie. Mais surtout son concert, dans une semaine, et ses parents qu'il imaginait assis, au fond de la salle (il avait âprement négocié cet incognito), et, au premier rang, l'une de celles avec qui, dans la nuit du réveillon, il avait dansé *Le Regard de velours*. Léra.

Il pensa de nouveau à la décalcomanie. Le monde tout entier ressemblait à ce jeu de couleurs : il suffisait de retirer une mince feuille grisâtre de mauvais souvenirs et la joie éclatait. Comme, au début de mai, éclatait la nudité de Léra sous cette robe brune qu'ils arrachaient

ensemble dans la précipitation des baisers encore
clandestins, l'oreille tendue vers les bruits dans
le couloir de la datcha : le père, vieux physicien,
travaillait sur la terrasse et de temps en temps
réclamait une tasse de thé ou un coussin. C'était
une nudité très saine, un de ces corps qu'on voyait
à l'époque marcher, couverts d'un léger maillot,
dans les défilés à la gloire de la jeunesse. Ce que
Léra disait était aussi très sain. Elle parlait de
famille, de leur futur appartement, des enfants.
Alexeï devinait que ce mariage le rendrait définitivement pareil aux autres, effaçant la silhouette
de l'adolescent qui épiait les notes des cordes
rongées par le feu. Plus qu'à leur jeune nid fami-
lial il rêvait, en vérité, de la voiture de son père,
cette large Emka noire, confortable comme une
cabine de luxe sur un long-courrier, et qu'il savait
déjà conduire. Pour se débarrasser une bonne fois
de l'adolescent apeuré, il suffisait d'imaginer cette
voiture, lui, Léra, la bande bleutée de la forêt à
l'horizon.

Sa pensée glissa vers les journées vécues à la
datcha, dans ce village au nom musical de Bor.
Vers la décalcomanie de ce corps quittant sa robe
de lycéenne et se prêtant aux caresses les plus

osées, à une lutte charnelle, à cette violence rieuse d'où ils sortent essoufflés, la vue brouillée par les larmes d'un désir entravé. Ce jeune corps se dérobe au dernier moment, se referme comme un coquillage sur sa virginité. Et ce jeu plaît à Alexeï. Dans cette résistance, il lit un engagement de fidélité future, une promesse de jeune fille responsable et avisée. Une fois seulement le doute surgit. Il se réveille après un bref sommeil, dans une chambre ensoleillée, et à travers ses cils voit Léra déjà levée, près de la porte. Elle se retourne et, le croyant encore endormi, pose sur lui un regard qui le glace. Il lui semble reconnaître le coup d'œil des masques au long nez. Pour effacer cette ressemblance, il bondit, rattrape Léra sur le pas de la porte, l'entraîne vers le lit, dans un combat fait de rires, de petites morsures, de tentatives pour se libérer. Quand enfin elle parvient à s'échapper, il éprouve non pas l'excitation du bonheur, mais une soudaine fatigue comme à la fin d'un spectacle qu'il aurait été forcé à jouer. Et il devine que ce corps féminin à la fois offert et interdit, ce corps lisse et plein appartient à une vie qui ne sera jamais la sienne. Si, bien sûr, se reprend-il aussitôt, il épousera Léra et leur vie aura la même substance que cet après-midi de printemps. Seulement, il faudra oublier la mélodie des cordes se rompant dans le feu. Leur vie aura la sonorité de la musique composée pour un défilé sportif dans un stade. Il se rappelle qu'un jour il a essayé de raconter à Léra ces notes qui s'envolaient des cordes brûlées. Elle lui a coupé la parole avec justement ce conseil enthousiaste : « Et si tu écrivais une marche sportive ! »…

Dans la cour de l'immeuble, il ne put éviter le bref éveil de l'angoisse : « La bataille navale ! » C'est ainsi qu'un jour, pendant les années de la terreur, s'étaient présentées à lui toutes ces fenêtres, et celles de leur appartement au milieu de la façade – des cases qu'une main invisible, imprévisible ! rayait en jetant les habitants dans une voiture noire qui venait à la fin de la nuit et repartait avec sa proie. Le matin on apprenait que tel ou tel appartement était désormais vide. « Touché, coulé… »

Son regard glissa sur ces trois fenêtres, trois cases indemnes au milieu de tant de naufrages. La peur ancienne avait disparu. Le bonheur présent était trop intense pour lui laisser la place.

Alexeï ne regrettait qu'une chose : ces années maudites avaient amputé sa vie d'une étape très importante qu'il aurait eu peine à définir. Le temps de la prime jeunesse, un âge rêveur, exalté, durant lequel on poétise la femme, on divinise sa chair inaccessible, on vit dans une attente farouche du miracle amoureux. Rien de tout cela pour lui. Il avait l'impression que, par un saut soudain, il avait été propulsé de l'enfance, de ce trottoir ébranlé par la destruction de la cathédrale dynamitée, par-dessus ces années de terreur – dans une vie déjà adulte, vers la nudité de ce beau corps musclé que Léra lui donnait presque tout entier, réservant ce presque pour le mariage.

Il monta l'escalier et, à chaque palier, nota le nombre de départs et d'arrivées, surtout au plus fort de la « bataille navale » de 37, 38, 39. Des gens tirés du sommeil et vivant ce départ comme un rêve qui dérapait sur l'horreur. Cet appartement-là, au-dessous du leur, une famille, une fillette qui, quelques jours avant le départ nocturne, l'avait croisé dans la rue et lui avait parlé d'un nouveau parfum de glace qu'on vendait sur les boulevards...

Il accéléra le pas et se mit à chanter un air
d'opéra, du répertoire de sa mère, un air aux
modulations amoureuses, grisantes. Elle l'entendit à travers la porte et, souriante, vint lui ouvrir.

Deux jours avant le concert, il retourna à la maison de la culture de l'usine, pour la dernière répétition. « La générale », comme il l'avait annoncé à ses parents pendant le déjeuner. Il travailla tout l'après-midi, rejoua le programme en entier et s'arrêta, se rappelant le conseil de sa mère : à force de répéter, on perdait parfois cette intime vibration de nouveauté, ce brin de miracle ou de prestidigitation dont l'art ne peut se passer. « Enfin, c'est comme pour le trac, ajoutait-elle. Si l'on n'en a pas du tout, c'est mauvais signe… »

Sur le chemin du retour, il pensa à cette peur bienfaisante, à ce frisson qui stimule. Il en avait manqué, cette fois-là, durant la répétition. « Jouer dans un tel bain de vapeur… », se justifiait-il. La

journée était pesante, laiteuse, très chaude. Une
journée sans couleurs, sans vie. « Sans trac », se
dit-il en souriant. Sa mère lui parlait aussi de ces
jeunes comédiennes qui affirmaient ne jamais
avoir le trac et à qui Sarah Bernhardt promettait
avec une indulgence ironique : « Attendez un peu,
ça viendra avec le talent… »

Même sous la verdure des boulevards, la torpeur moite stagnait, amortissant les bruits, enve-
loppant les arbres, les bancs, les poteaux des
réverbères d'un reflet gris, celui d'une journée
déjà vécue avant et dans laquelle on aurait péné-
tré par erreur. Alexeï quittait l'allée principale
pour prendre un raccourci quand soudain se
détacha d'une rangée d'arbres une silhouette
qu'il reconnut tout de suite : leur voisin, un
retraité qu'on voyait souvent assis dans la cour,
penché sur un échiquier. A présent, il avançait
d'un pas pressé et bizarrement mécanique, venait
droit à sa rencontre et, pourtant, semblait ne
pas le remarquer. Alexeï s'apprêtait déjà à le
saluer, à lui serrer la main, mais l'homme sans le
regarder, sans ralentir le pas, passa outre. C'est
au tout dernier instant de cette rencontre man-
quée que les lèvres du vieillard bougèrent légè-

rement. Tout bas, mais très distinctement, il souffla : « Ne rentrez pas chez vous. » Et il marcha plus vite, tourna dans une étroite allée transversale.

Interloqué, Alexeï resta un moment indécis, n'en croyant pas ses oreilles, ne comprenant même pas ce qu'il venait d'entendre. Puis se précipita derrière le vieillard, le rattrapa près d'un carrefour. Mais avant qu'il pût lui demander un éclaircissement le voisin chuchota, toujours en évitant son regard : « Ne rentrez pas. Sauvez-vous. Ça va mal là-bas. » Et le vieillard trottina, déjà au feu rouge, devant une voiture qui klaxonna. Alexeï ne le suivit pas. Il venait de voir dans ce visage qui se détournait de lui le masque au long nez.

Reprenant ses esprits, il constata à quel point les paroles du vieillard étaient absurdes. « Ça va mal là-bas. » Du délire. Un accident ? Une maladie ? Il pensa à ses parents. Mais pourquoi alors ne pas le dire clairement ?

Il hésita puis, au lieu d'entrer directement dans la cour, contourna tout le pâté d'immeubles, monta dans le bâtiment dont les fenêtres, dans la cage d'escalier, donnaient sur la façade de leur maison. Au dernier palier, il n'y avait pas d'appartements, juste l'issue menant sous les toits. Il connaissait ce poste d'observation pour y avoir fumé sa première cigarette. Même cette sensation vaguement criminelle y était encore présente : à travers un étroit vasistas, on voyait toute la cour, le banc où les retraités lisaient leurs journaux ou jouaient aux échecs, et si l'on pressait la tempe contre les carreaux on distinguait les fenêtres de la chambre de ses parents, et celle de la cuisine. Et se mêlait à ce guet le goût des premières bouffées de tabac.

Il passa un long moment le visage collé à la vitre. La façade lui était connue jusqu'à la moindre corniche, jusqu'aux gaufrures des rideaux aux fenêtres. Le feuillage d'un tilleul qui arrivait presque à la hauteur de leur appartement restait figé dans la chaleur mate du soir et semblait attendre un signe. Il y avait, pour une soirée de mai, étonnamment peu de monde dans la cour. Ceux qui la traversaient glissaient en silence et disparaissaient rapidement dans la somnolence des ruelles. Même la cage d'escalier demeurait muette, à croire que personne ne sortait ni n'entrait. L'unique bruit : le grincement de ce petit

vélo sur lequel un enfant pédalait, inlassable-
ment, autour d'un parterre de campanules. A
un moment il s'arrêta, leva les yeux. Alexeï tres-
saillit, s'écarta du vasistas. Il lui sembla que le
garçon le fixait, d'un regard précis, dur, un regard
d'adulte. Il avait un visage d'adulte, cet enfant.
Un petit adulte sournois sur sa bicyclette.

Le grincement des roues reprit. Alexeï trouva
sa peur stupide. Aussi stupide que cette attente
derrière une vitre poussiéreuse, aussi bête que
la mise en garde de ce vieux joueur d'échecs qui
l'avait pris sans doute pour quelqu'un d'autre.

Il eut envie de descendre vite, de rentrer pour
prendre de vitesse sa peur. « Le trac », ricana-t-il
en silence, et il se mit à dévaler l'escalier. Mais,
deux étages plus bas, il s'arrêta. Un couple venait
d'entrer et commençait à monter, l'obligeant à
reculer vers son refuge. Il observa de nouveau les
fenêtres de l'appartement, celles de leurs voisins
du dessous, et soudain comprit ce qui le retenait
ici...

Durant les années de la terreur, cet appartement avait connu trois départs. On avait emmené,
d'abord, le constructeur d'avions et sa famille.
Dans la cour, la rumeur prétendait que c'était

son assistant qui l'avait dénoncé, pour occuper son poste et cet appartement. Il s'y était installé avec sa famille, avait eu le temps d'acheter de nouveaux meubles pour la salle à manger et de sentir la pérennité de cette nouvelle situation. Six mois après, la nuit où était venu leur tour, on avait entendu le cri de leur enfant qui, encore ensommeillée, réclamait sa poupée favorite que, dans la hâte de l'arrestation, personne n'avait pensé à emporter. Une semaine plus tard emménageait cet homme portant l'uniforme de la Sûreté d'État. Lorsqu'il croisait les voisins dans l'escalier, il s'arrêtait, les dévisageait d'un air buté, attendait leur salut. Son fils ressemblait à un jeune sanglier. C'est en tout cas avec la force obtuse de l'animal qu'il avait, un jour, poussé Alexeï contre le mur et laissé filtrer entre ses dents : « Alors, l'intelligentsia pourrie, on tambourine toujours sur son foutu petit piano ? Attends un peu, je vais prendre un marteau, je vais lui clouer le couvercle, à ta musique ! » Alexeï n'en avait rien dit à ses parents. D'ailleurs, peu de temps après, vers la fin de 1938, l'appartement s'était de nouveau libéré…

Il pressa son front contre la vitre. Les rideaux

de la chambre de ses parents semblèrent bouger.
Non, rien. Il repensa au jeune homme-sanglier,
à son visage renflé, à son mépris. A sa menace
surtout, tout à fait fantaisiste bien sûr, mais
qui souvent paraissait réalisable : ce piano et son
couvercle cloué avec de gros clous de charpentier.
En fait, s'il guettait à présent, devant ce vasistas
couvert de toiles d'araignée, c'était à cause de
ce jeune sanglier. C'est grâce à sa disparition,
par une nuit de décembre, qu'il avait compris que
personne n'était à l'abri. Même les vainqueurs.
Même ceux qui avaient vaillamment combattu
les ennemis du peuple. Même les enfants de ces
combattants.

Il vit, à ce moment-là, le joueur d'échecs
qui traversait la cour d'un pas tranquille. Le vieil
homme agita le bras, saluant une femme qui arro-
sait les fleurs à sa fenêtre, puis disparut dans
une entrée. Le crépuscule empêchait déjà de voir
l'expression des traits. Et, comme en réponse à
cette impression, la lumière colora les rideaux de
la chambre de ses parents. Une ombre se dessina,
très familière. Il crut reconnaître sa mère. Et
même aperçut une main, sa main bien sûr, qui

tirait les rideaux. « Je suis un crétin intégral et le dernier des pleutres », se dit-il en éprouvant un merveilleux dilatement dans sa poitrine. Son regard glissait maintenant sans heurt sur ces rangées de fenêtres qui commençaient à s'allumer. Paisibles, presque assoupissantes dans le calme d'une soirée de mai. Une porte, en bas de l'immeuble où il s'était caché, claqua. Le cliquetis de la serrure, des voix, le silence. Il décida d'attendre encore une minute, à présent tout simplement pour éviter des regards curieux. « En plus, j'ai mon concert samedi… », affirmait en lui une voix confiante. Cet argument semblait écarter définitivement le danger que le vieux fou croisé sur les boulevards avait inventé. « Je vais rentrer, j'aurai encore une heure pour répéter, avant que les voisins ne se mettent à râler. »

Il jeta un dernier coup d'œil sur l'immeuble, et c'est avec ce regard déjà insouciant et fatigué par la tension qu'il vit derrière la fenêtre obscure de leur cuisine un officier qui, de haut en bas, observait la cour.

Il lui sembla que l'escalier serait sans fin. Tour après tour, dans une course affolée, il suivait les zigzags des rampes qui se prolongeaient interminablement comme par une illusion d'optique. Dans les rues, puis dans les couloirs du métro, à la gare, il croyait s'enfoncer toujours dans la spirale glauque de la cage d'escalier, esquiver les portes qui risquaient à tout moment de s'ouvrir. Et son regard emportait la vision d'une fenêtre dans laquelle se découpait la silhouette d'un homme sanglé dans un baudrier. Il ne courait pas, il chutait.

Cette chute cessa devant les guichets. D'une boîte de bonbons, l'employée tira une petite boule rose et la mit dans sa bouche. Et tandis que ses doigts prenaient l'argent et rendaient la monnaie, ses lèvres bougeaient, pressant la sucrerie contre ses dents. Alexeï la dévisageait avec stupeur : derrière l'abattant du guichet commençait donc un monde presque magique, fait de la merveilleuse routine des bonbons, de ce bâillement souriant. Un monde d'où il venait d'être chassé.

Cette vie qui continuait tranquillement sans lui l'avait tellement frappé qu'il ne s'étonna pas de ce qui se passa à la datcha, à Bor. Le père de Léra, ce professeur d'habitude cloîtré dans son

bureau et sourd aux appels et aux sonneries, lui
ouvrit, cette fois, presque immédiatement. A
onze heures du soir. Alexeï ne trouva rien d'éton-
nant non plus à ce que le vieil homme l'écoutât
à peine, se hâtant de lui offrir un repas qui semblait déjà l'attendre sur la table de la cuisine.
D'ailleurs, devant ses tentatives pour expliquer
ce qui arrivait à ses parents, le professeur n'eut
que ce mot : « Mange, mange bien ! Et puis essaye
de dormir. La nuit porte conseil. » Il répéta ce
proverbe plusieurs fois, machinalement, avec l'air
de terminer une réflexion que la visite du jeune
homme avait interrompue.

Étrangement, malgré la fièvre qui le secouait,
il sombra rapidement dans un sommeil épais
et bref. Il voulut s'y cacher en espérant se réveiller
de l'autre côté du guichet derrière lequel une
jeune femme suçotait un bonbon. Il fit un rêve où
ce guichet était placé très bas, presque au sol, et
il fallait se courber pour apercevoir dans ce sou-
pirail le visage qui remplaçait celui de la guiche-
tière : le visage de Léra, mais d'une Léra ambi-
guë, surprise dans une occupation inavouable.
Il y eut aussi le vieux joueur d'échecs assis sur
un banc mouillé par la pluie. Alexeï jouait avec

lui, posant les pièces non pas sur un échiquier mais sur les pages d'un atlas anatomique dont les images étaient obscurément liées à leur jeu. Et son sommeil était imprégné par la peur de ne pas deviner ces liens, évidents pour le vieillard. Ce fut, enfin, la silhouette de sa mère qui récitait des vers et soudain les chanta d'une voix si aiguë et désespérée qu'il se réveilla avec un cri muet dans la gorge.

Il consulta sa montre : trois heures et demie. Derrière la fenêtre, la nuit commençait à pâlir. Alexeï observa la chambre, les contours des meubles, et presque calmement pensa : « Mais c'est qu'il va me dénoncer... » En un éclair toutes les étrangetés ignorées la veille se figèrent dans une logique sans issue. Le professeur qui ne se couchait jamais tard avait ouvert dès la première sonnerie, tout habillé. Sa femme sans laquelle il ne pouvait faire un pas était absente. Léra aussi. Dans la chambre, tout était prévu, on eût dit, pour accueillir un hôte... « Non, il ne me dénoncera pas, tout simplement il les laissera entrer... »

Il sauta du lit, s'habilla, ferma le loquet de la porte, enjamba la fenêtre...

Au début du sentier que d'habitude il prenait avec Léra pour aller se baigner dans un étang, il hésita, tourna vers une vieille remise, derrière la maison, s'assit sur un billot, décidant d'attendre. Et n'eut pas à attendre. Du fond de la rue principale qui divisait ce lotissement de datchas en deux, parvint le bruit d'un moteur. La voiture s'arrêta. Dans le silence encore nocturne, il perçut le bruit des coups frappés à la porte, le chuchotement des voix d'hommes et plus claire, sur un ton implorant, mais cherchant à préserver sa dignité, la voix du professeur : « Camarades, vous m'avez promis... C'est un jeune homme fragile. Je vous en prie ! Je suis sûr que ses parents... » Quelqu'un lui coupa la parole d'un ton énervé : « Écoutez, professeur, ne vous mêlez pas de ce qui ne vous regarde pas ! Vous parlerez quand on vous interrogera... »

Se jetant sur le sentier, Alexeï entendit le tambourinement qui venait de l'intérieur de la maison.

Bien plus tard, quand il aurait percé l'impitoyable lubie qu'a la vie de jouer aux paradoxes, il comprendrait qu'en réalité il devait son salut aux Allemands. Depuis le mois d'avril de cette année 1941, et même avant mais plus confusément, on parlait à Moscou de la menace qui viendrait de l'Ouest. Sa mère se souvenait, à ces occasions, de la famille de sa sœur qui vivait en Ukraine, dans un village reculé. Parents pauvres, pour ainsi dire, et jamais invités à Moscou. On les imaginait dans leur hameau, tout près de la frontière polonaise, exposés à la guerre de plus en plus prévisible. « Mais jamais, voyons, jamais notre armée ne laissera les Allemands traverser la frontière, l'interrompait le père. Et même si, par extraordinaire, ils réussissaient à lâcher quelques bombes, il n'y aurait rien à craindre. Je prends ma voiture, je débarque chez ta sœur, je les ramène vite fait à Moscou. » Ce projet d'évacuation en voiture revenait de temps en temps dans leurs veillées familiales.

Alexeï s'en souvint lorsque, vers six heures du matin, il atteignit, à pied, les faubourgs de Moscou. Sa tête résonnait des noms des camarades de conservatoire qui pouvaient lui venir en aide, des noms qui, considérés un à un, s'estompaient dans le doute. Il pensa alors à cette tante, en Ukraine, se rappela le projet de voyage en voiture, se hâta de s'accrocher à l'idée avant qu'elle ne lui apparût invraisemblable.

Le garage, à quelques rues de leur immeuble, était serré contre le mur d'un monastère détruit. L'endroit, à cette heure-là, était encore désert, les portes des autres garages closes. Il se redressa sur la pointe des pieds et, retenant son souffle comme pour attraper un papillon, tendit la main vers une petite niche sous la tôle ondulée du toit. Son père, distrait, y déposait souvent le double de la clef. Ses doigts tapotèrent fébrilement le fond de la cache et soudain touchèrent le métal.

Il rangea dans le coffre deux bidons d'essence, gardés en réserve, et avant de se mettre au volant regarda autour de lui. Sa pensée, vidée par la fatigue et la peur, s'éveilla : ce garage avec une ampoule terne au plafond, cette odeur de l'essence, ces objets que son père avait touchés – le dernier reflet de leur vie ?

Des pas firent crisser le gravier. Alexeï se glissa derrière le volant, l'esprit de nouveau vide, le cœur suspendu, le corps prêt à exécuter le jeu de mouvements familiers et à propulser cette lourde voiture noire contre la porte entrouverte... Mais dehors les bruits s'enchaînèrent dans une suite sans danger : tintement d'un trousseau de clefs, grincement des gonds, départ.

S'arrêtant à un carrefour, il se rendit compte qu'il n'avait eu qu'une fois l'occasion de conduire hors de Moscou : pour amener Léra à la datcha de Bor.

Il trouva dans la voiture une liasse de cartes routières, dont celle de la région, en Ukraine, où habitait sa tante. Une veste et une vieille casquette traînaient sur la banquette arrière. Il les mit et constata, plus tard, combien cet accoutrement facilitait le passage des postes de la milice. Il ressemblait, surtout grâce à cette casquette, à un chauffeur pressé de se rendre au domicile d'un personnage haut placé. Et plus il s'éloignait de Moscou, plus la vue de la grande voiture noire en imposait.

A la fin de la deuxième journée de course, sur une route déjà campagnarde, il croisa une carriole conduite par un jeune paysan qui resta bouche bée devant la voiture surgie au milieu des champs. Avec un fort accent nasal, en mélangeant les mots russes et ukrainiens, il expliqua la direction. Alexeï était à une vingtaine de kilomètres du but.

Avant la nuit, il progressa encore, puis tourna, suivit une piste qui s'enfonçait dans la forêt, s'arrêta quand un gros tronc lui barra la route. Il mangea toute une miche achetée dans une bourgade qu'il avait traversée à midi, se sentit enivré par la nourriture, par la montée du sommeil. La forêt autour de la voiture paraissait infinie. Il voulut regarder l'heure, se rappeler la date, comme pour s'accrocher à une bouée dans l'océan de branches et d'ombres. Couché sur la banquette, il leva le bras vers la lumière qui filtrait à travers le feuillage. Il n'était que huit heures et demie du soir. Le 24 mai...

« Mon concert ! » souffla-t-il en se relevant brusquement. Contre la vitre arrière se débattait un beau papillon de nuit, ses ailes couvertes d'une écriture fine, mystérieuse, laissaient sur la vitre des traces de pollen. Et c'est aussi comme à travers l'épaisseur du verre qu'il imagina la salle, une scène illuminée, un jeune homme s'avançant vers le piano. Dans une illusion poignante, il observa, un instant, cette vie qui se poursuivait quelque part, sans lui.

Le matin, il quitta la forêt à pied. Et se retourna plusieurs fois : le soleil encore bas remplissait l'intérieur de la voiture abandonnée d'une lumière dorée, elle ressemblait à une voiture laissée par une famille dispersée au milieu des arbres, en train de cueillir des fraises des bois.

La tante l'écouta en silence, le laissa parler longuement, se répéter. Elle sentait que c'était ainsi qu'il allait s'habituer à sa nouvelle vie. L'oncle revint de la ville vers midi et fut lui aussi peu bavard. Alexeï devinerait, des semaines après, que derrière cette acceptation muette de sa venue, du danger de sa venue, il y avait sans doute l'envie tacite de lui faire comprendre : « Tu vois, nous, les culs-terreux, nous t'accueillons les bras ouverts. Nous ne gardons pas rancune aux proches qui nous ont oubliés. » Mais, sur le moment, il n'avait besoin que de cette possibilité de raconter, d'être approuvé, de s'entendre confirmer que de toute façon, resté à Moscou, il n'aurait rien pu faire pour ses parents. Il se rendit compte aussi que, en quelques gestes rapides, on préparait déjà son existence clandestine dans cette maison. Cette économie de mots et de gestes lui rappela que l'épidémie de peur qu'avait

connue sa famille en 37 s'était abattue sur ces
gens bien avant. A la fin des années vingt, dès le
début de la collectivisation dans cette contrée.
Ils avaient perdu leurs deux enfants dans la
famine qui s'en était suivie, avaient déjà caché des
fuyards.

C'est dans l'une de ces caches que l'oncle
l'installa. Ils allèrent au fenil et, dans le demi-jour
qui pénétrait à travers les planches, Alexeï vit
un espace vide, sans fenêtre, sans le moindre
recoin où s'abriter. Devant son air interdit, l'oncle
sourit et expliqua à mi-voix : « C'est une valise
à double fond. » Il pressa sur une planche qui céda
et Alexeï, passant la tête dans l'ouverture, découvrit une sorte d'étroit conduit entre deux murs en
bois, large de cinquante centimètres à peine, avec
un bat-flanc, une tablette clouée au mur, un seau,
une cruche, une écuelle. « Il faudra, ajouta l'oncle,
que tu habitues ton nez moscovite à l'odeur du
fumier. J'en mets autour du fenil, au cas où ils
viendraient avec un chien… »

Deux jours plus tard, l'oncle lui annonça, un
peu gêné : « Je sais que ça te fera mal mais… la
voiture, il faut qu'on la noie. Je vais te montrer
l'endroit d'où nous pourrons la pousser. »

Alexeï apprit rapidement à mouler son corps, ses mouvements dans le tronçon exigu entre les murs. Il réussit à suspendre à mi-geste sa vie secrète lorsqu'un jour, de l'autre côté des planches, résonna cette voix qui rabrouait l'oncle : « Il est pas loin, ton neveu, les gens l'ont vu. Tu as tout intérêt à nous aider avant qu'on le trouve nous-mêmes dans ton grenier… » L'oncle, très calme, répondait d'une voix sans timbre : « Ce neveu, je ne l'ai jamais vu de ma vie. Si vous le trouvez, ça sera pour moi l'occasion de faire sa connaissance… » Alexeï resta figé, une cuillère près de sa bouche, n'osant même pas chasser une mouche sur son front.

Il quittait son refuge au milieu de la nuit, se lava, se changeait, se dégourdissait les jambes. La tranquillité des champs, le ciel, les étoiles embuées de chaleur, tout l'invitait à la confiance, à la joie de la vie. Tout mentait.

Il avait fini par étudier la moindre fissure entre les planches, savait quel champ de vision elles offraient. Celle-ci, au-dessus de la tablette, permettait d'observer une étroite partie de la route qui reliait le village au chef-lieu. Cette autre, à côté du bat-flanc, découpait une clôture en branches sèches.

Un jour, au pied de cette clôture, il observa un dormeur, un homme ivre, étendu comme terrassé d'un coup de fusil. Les pans de sa veste s'étalaient dans la poussière de la route, son ronflement parvenait jusqu'au fenil. Ce corps affalé exprimait une telle bienheureuse indifférence envers ce qu'on eût pu penser de lui, un tel abandon dans cette mort temporaire, un tel oubli de sa personne qu'Alexeï éprouva une violente jalousie. Une tentation plutôt : aborder ce cadavre ronflant, le fouiller, lui dérober ses papiers, se déguiser avec ses habits, revenir à la vie sous ce nom volé...

Le bois de la planche lui piquait la joue avec ses échardes. Alexeï fixait l'ivrogne comme si ç'avait été une apparition miraculeuse. L'homme ne lui ressemblait pas du tout, au moins deux fois son aîné, roux, le nez épaté. Mais l'idée d'un vol d'identité, pour le moment invraisemblable, s'incrusta dans sa mémoire.

Un soir, par l'une de ces fentes entre les planches, il vit s'éloigner la carriole de son oncle : lui tenant les rênes, la tante assise au milieu des cageots de légumes qu'ils allaient vendre au marché du dimanche, au chef-lieu.

La nuit, le bruit des sabots perça à travers son sommeil. « Déjà de retour ? » s'étonna-t-il, encore à moitié assoupi. Le martèlement devint plus lourd, rappela le tonnerre. L'épaule serrée contre les planches du mur, il sentit qu'elles vibraient. « Tous ces chevaux ! » lui souffla son rêve rempli de troupeaux qui faisaient trembler la terre sous leur galop. Et aussitôt, démêlant la tromperie du sommeil, il sauta du bat-flanc, poussa la planche de l'issue secrète et, sortant dans la nuit, vit l'horizon en feu. Les vagues des bombardements résonnaient à présent plus distinctement, à une cadence devenue régulière. Très bas, en rasant les toits du village, passa un avion, puis un autre. Cela ressemblait à un numéro de haute voltige. Pourtant, la route se remplissait déjà de gens qui fuyaient. Alexeï se hâta de glisser dans son refuge. Son champ de vision, entre deux planches, happa une femme qui trébuchait en traînant derrière elle deux enfants ensommeillés, cette vieille qui fouettait une vache. Puis, plus rapidement, en sens inverse, des soldats qui se heurtaient aux flots des fuyards.

Et, moins d'une heure plus tard, la fumée, le tambourinement des balles qui écaillaient l'enduit des murs, et soudain cette masse rugissante qui frôla le fenil et hachura de ses chenilles le potager que la tante avait arrosé pas plus tard que la veille.

Il resta couché à terre un long moment. Les murs de son refuge étaient çà et là troués de balles. Peu à peu la gamme des bruits se fit plus simple, plus pauvre. Quelques cris encore, le grincement des chenilles, une rafale déjà lointaine. Enfin, juste le sifflement du feu. Alexeï regarda dans l'un des judas percés par la fusillade. Près de la clôture, à l'endroit exact où, deux semaines auparavant, il avait vu un ivrogne endormi, s'étalait le corps d'un soldat, le visage en sang tourné droit vers le lever du soleil, comme pour bronzer.

Il mit deux jours à trouver son homme, son donneur d'identité. Les recherches dans le village incendié avaient échoué. Il était tombé sur quelques survivants et avait dû fuir. Sur la route, il trouvait surtout des corps de femmes et d'enfants ou d'hommes trop âgés.

Au bout de la deuxième journée de marche, il descendit vers une rivière et sur la berge, à l'entrée du pont démoli par les obus, vit tout un champ de bataille, des dizaines de soldats à qui la mort avait prêté des poses tantôt très banales, comme celle de ce corps aux jambes repliées, tantôt pathétiques, comme celle de ce jeune fantassin qui rejetait loin sa main dans un geste de tribun. Caché derrière la broussaille, Alexeï attendit, dressant l'oreille, mais ne perçut aucune plainte. La soirée était encore claire, les visages des tués, quand il osa enfin s'approcher, se découvraient avec une simplicité sans défense. Il remarqua qu'il n'y avait pas de soldats allemands, certainement déjà enlevés par les leurs.

Il rencontrait les yeux, souvent largement ouverts, notait la couleur des cheveux, la taille. De temps en temps, fasciné par la mort, il en oubliait le but de ses recherches, plongeait dans une torpeur d'automate, se transformant en une caméra hypnotique qui cadrait, l'une après l'autre, ces vies arrêtées. Puis se reprenait, se remettait à chercher son double. La couleur des cheveux, le relief des traits, la taille.

Tout près de la rivière, il trouva un visage

proche du sien, mais le soldat avait les cheveux bruns, presque noirs. Il se dit qu'il pourrait raser sa chevelure blonde et que sur la photo d'une pièce d'identité cette différence de teinte serait peu visible. Avec des doigts qui tremblaient, il déboutonna la poche de la vareuse du soldat, saisit un petit livret frappé d'une étoile rouge, et se hâta de le ranger. Sur la photo, le soldat ne lui ressemblait pas du tout et les cheveux encadraient le visage comme d'un trait de charbon.

S'arrêtant près d'un autre, il nota la ressemblance de leurs traits. Mais s'aperçut soudain que l'oreille gauche du soldat était déchiquetée par une balle. Il s'éloigna rapidement, comprit aussitôt qu'une telle blessure ne démentait en rien la ressemblance mais n'eut pas le courage de revenir vers cette tête ensanglantée.

Il découvrit cet autre mort par hasard quand, pour se défaire de l'odeur qui stagnait sur la rive, il entra dans l'eau jusqu'aux genoux et se mit à se laver le visage, le cou. Le corps du soldat était à moitié écrasé sous une poutre du pont écroulé. On voyait juste l'ovale blond de sa tête, un bras serré contre sa poitrine. Il s'approcha, se pencha, surpris de voir à quel point ce visage inconnu lui ressemblait, empoigna la poutre, la rejeta de côté... Et bondit en arrière : les yeux du soldat s'animèrent et de ses lèvres s'échappa un flux rapide de paroles chuchotées, dans un soulagement plaintif. En allemand ! Puis un long jet de sang. Et de nouveau la fixité de la mort.

A grands pas, essayant de ne pas revoir les visages connus, il quitta la rive. Il ne tenta même pas d'excuser cette fuite ou de se rassurer en se disant que dans un autre endroit peut-être... Il était vidé de lui-même, contaminé par la mort, chassé de son corps par tous ces morts qu'il mettait dans ses habits, se glissant dans les leurs. Il parla en rythmant ses pas, voulant s'emplir de ce qu'il avait été avant... Mais tout à coup s'arrêta. Loin des autres, un soldat, tête lavée par le flux du courant, gisait. Celui qu'il avait cherché.

Alexeï commença à le déshabiller, avec des gestes qui appartenaient à quelqu'un d'autre, des gestes un peu rudes, efficaces... Habillé, il constata que les bottes étaient trop étroites. Il revint vers le pont et toujours dans cette absence de lui-même retira les bottes d'un autre soldat. La botte droite résista. Il s'assit, observa, désemparé, ce grand corps que ses efforts avaient déplacé, se vit d'un regard extérieur – ce jeune homme au milieu d'un beau crépuscule d'été, sur la rive frangée de sable – et ces dizaines de cadavres. De temps en temps, dans les roseaux, un poisson remuait avec paresse, battait l'eau d'un clapotement sonore… Il se redressa, saisit cette botte collée à la jambe, se mit à la secouer, à la tirer sauvagement. Il ne se rendait pas compte que depuis un moment il pleurait et parlait avec quelqu'un et même croyait entendre des réponses.

En reprenant la route, il se calma. Au milieu de la nuit, passée dans une carriole abandonnée, il se réveilla, craqua une allumette, lut le nom du soldat qu'il était désormais. Dans la poche de la vareuse, il trouva la photo d'une jeune fille et une carte postale, pliée en deux, avec une vue du palais d'Hiver.

Il imagina en détail sa première rencontre avec les soldats parmi lesquels il lui faudrait se perdre, se faire accepter, ne pas se trahir. Des interrogatoires, des contrôles, pensait-il. Et la méfiance.

Cette rencontre n'eut pas vraiment lieu. Tout simplement, à l'entrée d'une ville inconnue, au milieu des rues sonores de fusillades, il fut entraîné dans une course désordonnée de soldats qui fuyaient devant un danger encore invisible, tombaient, tiraient, visant à peine, sur le nuage de fumée au fond d'une avenue.

Il courut avec eux, ramassa un fusil, imita leur tir et même leur panique, bien qu'il ne la ressentît pas pour l'instant, n'ayant le temps de mesurer ni leur épuisement ni l'énormité de la force à laquelle ils essayaient de faire face. Quand, à la tombée de la nuit, un officier parvint à rassembler quelques débris de l'armée en déroute, Alexeï constata que les soldats venaient des unités les plus variées, de compagnies anéanties, de régiments décimés. Il était donc comme eux. A cette différence près que parfois il avait plus peur de laisser échapper son vrai nom que de se retrouver sous un tir. Cette peur, cette vigilance avec laquelle il copiait les gestes des autres firent que pendant ces premières semaines il n'eut pas l'impression de faire la guerre. Et lorsque, enfin, il put relâcher cette corde tendue en permanence, il se découvrit dans la peau de ce soldat vieilli, peu loquace et respecté pour son sang-froid, un homme parmi des milliers de ses semblables, indistinct dans la colonne qui piétinait sur une route boueuse, se dirigeant vers le cœur de la guerre.

Durant les deux premières années au front, Alexeï reçut quatre ou cinq lettres adressées à celui dont il portait le nom. Il ne répondit pas et pensa que son mensonge donnait certainement à plusieurs personnes la force d'espérer, l'énergie de survivre.

Il avait d'ailleurs depuis longtemps appris qu'à la guerre la vérité et le mensonge, la générosité ou la dureté, l'intelligence ou la naïveté n'avaient pas la même clarté que dans la vie d'avant. Souvent lui revenait le souvenir des cadavres sur la berge d'une rivière. Mais l'horreur de ces minutes révélait à présent sa face cachée : si le jeune Moscovite qu'il avait été alors n'avait pas séjourné au milieu de ces morts, il aurait sans doute été brisé, dès les premiers combats, par la vue des corps éventrés. La botte qu'il avait arrachée au cadavre lui avait été comme une cruelle mais inévitable vaccination. Parfois, dans un jugement inavoué, il reconnaissait même que, à côté de ce mort déchaussé, toutes les tueries

dont il était témoin lui paraissaient moins dures
à vivre.

Un jour, au moment de sa première blessure,
il découvrit un autre paradoxe. Venu parmi ces
soldats pour fuir la mort, il s'exposait à une mort
bien plus certaine ici que dans une colonie de
rééducation où on l'aurait envoyé après l'arrestation de ses parents. Il eût été plus à l'abri derrière les barbelés d'un camp qu'en possession de
cette liberté mortelle.

Jamais non plus il n'aurait pu croire que
durant une courte semaine, après la convalescence, un bras encore en écharpe, dans cet hôpital résonnant de râles de blessés, il fût possible
d'aimer, de s'attacher à une femme, avec l'impression d'avoir toujours connu ces yeux, ce
timbre un peu sourd de la voix, ce corps. Mais surtout si du temps de son ancienne vie, à Moscou,
un ami lui avait parlé d'un tel amour, Alexeï lui
aurait ri au nez, ne voyant dans cette liaison
qu'une série d'accouplements hâtifs, de silences
obtus entre une infirmière et un convalescent qui
n'avaient que leurs corps pour tout échange. Il se

serait gaussé de ces détails comiques bons pour
un roman campagnard : ce bouquet ébouriffé
qu'il avait cueilli de sa main valide le long d'un
chemin, ces boucles d'oreilles à la dorure usée,
les doigts de la femme brunis par la teinture
d'iode.

Il y eut tout cela durant cette semaine de
convalescence. Cet hôpital qui, avant l'offensive
qui se préparait, vivait quelques jours de répit
dans l'attente de nouveaux convois de blessés.
L'odeur lourde de sang et de chair meurtrie.
Cette femme, de quinze ans son aînée, qui semblait s'apercevoir de nouveau que les saisons exis-
taient, que ce souffle chaud de la terre, cette écume
du lilas s'appelait printemps, qu'un homme, ce
soldat un peu gauche avec qui elle se mit un
jour à parler, pouvait devenir très proche, qu'ils
devenaient très proches, malgré elle, malgré lui,
malgré tout. Et quand il la surprit, un soir, en
surgissant sur le chemin qui menait de l'hôpital
à l'isba où elle logeait, lui avec ce bras en écharpe
et ce bouquet, elle sentit sa voix se dégeler :
« C'est la première fois qu'on me... » Il ne la laissa
pas terminer, se hâta de plaisanter, de la faire rire.
Puis se tut et jusqu'à son départ, une semaine

après, il crut que c'était son bras encore doulou-
reux qui l'empêchait de se rassasier de ce corps
féminin, d'épuiser tout ce qu'elle lui donnait.

Dans les tranchées cette faim inassouvie
reviendrait, mais déjà plus ample, convoitant et
la poussière du chemin qui menait vers l'isba
(il aurait tout donné pour pouvoir tout simplement toucher ces ornières tièdes éclairées par
le couchant), et le reflet des gouttes qui, après
une brève ondée nocturne, glissaient du toit et
captaient dans leur chute l'éclat de la lune. Il
comprendrait qu'il désirait maintenant jusqu'à
l'odeur âpre de la teinture d'iode que dégageaient
ces paumes un peu rêches dont il sentait encore
la caresse sur son visage. Cette odeur résista
mieux au temps que le souvenir charnel, effacé
par la vue des corps sans vie, par les rencontres
d'une heure avec ces femmes qui ne lui laissaient
ni le souvenir d'un visage, ni un talisman comme
cette teinture d'iode.

Les seuls moments où la peur d'être démas-
qué revenait étaient ceux où il avait une chance
– une malchance pour lui – d'être décoré. La
commission qui en décidait, surtout s'il s'agissait

d'un ordre, vérifiait le passé du militaire pour ne pas distinguer un ancien détenu ou un exclu du Parti. Alexeï avait depuis longtemps appris à paraître terne et, souvent le premier dans les assauts, savait s'effacer après la fin d'un combat, quand le commandant relevait les noms des plus braves.

Il lui arriva d'entendre de la musique, celle des orchestres militaires, ou parfois, dans les haltes, la plainte joyeuse d'un accordéon. Épiant dans son cœur quelque reflux sentimental, il constatait que rien de tel ne perçait en lui, aucune émotion particulière qui aurait rappelé sa jeunesse de pianiste.

Le piano, il en vit un dans cette ville litua-nienne où l'offensive de son régiment s'enlisa pour toute une semaine. Leur avancée était gênée par de nombreux tireurs d'élite qui tenaient sous le feu tous les carrefours et tuaient les officiers dans une sélection précise et technique. L'un des tireurs était caché dans cet immeuble aux vitres soufflées et dont le rez-de-chaussée laissait entre-voir l'intérieur d'un salon, les fauteuils en velours et ce piano à queue. A une centaine de mètres de là, Alexeï restait allongé dans l'entrée d'une maison et de temps en temps, l'espace d'une seconde, pointait dans la porte ouverte son appât : cet ovale en contreplaqué surmonté d'une casquette d'officier et portant en son milieu deux ronds découpés dans une boîte de conserve. Un officier qui regarde avec ses jumelles, la cible favorite des tireurs. Alexeï la sortait et la rentrait rapidement, lançait un bref sifflement à ses deux camarades qui, du dernier étage, observaient la rue… La balle claqua au moment où il ne s'y attendait plus, le va-et-vient de l'appât étant devenu machinal. Le craquement du contreplaqué se noya immédiatement dans le bruit des rafales parties du dernier étage, puis le tambourinement des bottes dans l'escalier. « On l'a eu ! » cria le soldat portant une mitrailleuse sur son épaule. La balle avait percé le contreplaqué juste au-dessus des deux ronds en fer-blanc. Ils regardèrent le trou, le touchèrent, en rirent. Puis, traversant la rue, allèrent récupérer le fusil de l'Allemand. Alexeï s'arrêta près du piano, laissa retomber une main sur le clavier, écouta, referma le couvercle. La joie de ne pas sentir en lui la présence d'un jeune homme épris de musique était très rassurante. Il regarda sa main, ces doigts couverts de cicatrices, d'éraflures, cette paume aux cals jaunâtres. La main d'un autre homme. Il pensa que, dans un livre, un homme dans sa situation aurait dû se précipiter vers ce piano, jouer en oubliant tout, pleurer peut-être. Il sourit. Cette pensée, cette idée livresque était probablement l'unique attache qui le reliait encore à son passé. Rejoignant les soldats, il rencontra le regard sans vie du tireur allemand étendu sur le parquet et se dit que pour cet homme il était un imprudent officier russe qui faisait briller les verres de ses jumelles. Cet officier en contre-plaqué avec des yeux découpés dans une boîte de conserve.

Il espérait avancer à travers cette guerre sans marquer par des traits voyants l'identité de celui dont il vivait désormais la vie. Être lisse, sans relief ni personnalité, un peu comme cet ovale en contreplaqué. Mais la guerre, avec ses fantaisies qui pourtant ne l'étonnaient plus, décida d'imprimer sa marque à la photo d'un jeune blond auquel il ressemblait tant.

Ce fut cette deuxième blessure, bien plus

grave que la précédente, et, après deux semaines passées entre la vie et la mort, ce premier reflet dans un miroir, au moment où l'on changeait les pansements : un crâne nu, sans âge, et une cicatrice qui descendait en biais de la ligne des cheveux vers la tempe.

Il fit tout pour éviter d'être réformé. Feignit la santé malgré la douleur mate, patiente, qui l'imprégnait, malgré le silence de la mort qui s'était installé dans ses pensées. Le médecin lui parla comme à un enfant qui essaye de s'accrocher à la main de sa mère obligée de partir : «Écoute, tu vas passer un mois dans ton village, tu vas déjà reprendre un peu de poids grâce aux pâtés de maman et puis on verra.» Alexeï voulait rester non par quelque esprit d'abnégation héroïque, mais tout simplement parce qu'il n'avait nulle part où aller.

Les routes étaient encore couvertes de glace, ce début de mars voyait peu de soleil. Il marchait, parfois montait dans des camions, descendait dans un village en disant au chauffeur qu'il y habitait, reprenait sa marche. De temps en temps, arrêté au milieu des champs déserts et blancs, au milieu de toute cette terre meurtrie par la guerre, il flairait l'air, croyant discerner comme un bref souffle de tiédeur. Il devinait que tout ce qui lui restait de vie était concentré dans ce souffle faiblement printanier, dans ce reflet aérien et brumeux de soleil, dans l'odeur de ces eaux qui s'éveillaient sous la glace. Et non pas dans son corps décharné qui ne sentait même plus les brûlures du vent.

Confusément, il se rendait compte que ces routes, malgré les détours, le menaient vers Moscou. Ou plutôt vers une ville vague, nocturne, vers un endroit obscurci de sommeil : ce dernier palier en haut d'une cage d'escalier, des vieux cartons étalés au sol, un radiateur chaud contre lequel il pourrait s'adosser, rester muet, immobile, ne prétendant à rien, conscient seulement que sur la terre entière c'était là son unique refuge, le terme de sa marche infinie.

Ce jour-là, il longeait une forêt de sapins qui gardait encore son air hivernal – renfermé et alourdi par la neige. A un tournant, une femme apparut devant lui, marchant dans la même

direction et tirant derrière elle une luge. Il accéléra, content de se retrouver dans un endroit
habité. La femme ne se retourna pas au crissement de la glace sous ses bottes. Il s'apprêtait déjà
à lui parler mais tout à coup reconnut la charge
transportée sur la luge. Un petit cercueil dont les
planches non rabotées et couvertes de nœuds
n'étaient ni tapissées d'andrinople, comme de
coutume, ni au moins teintées de peinture. Leur
bois lui rappela les caisses d'obus.

Ils se saluèrent en silence et marchèrent côte
à côte. Le cimetière, sous la neige, ressemblait à
une clairière. La tombe, visiblement préparée
durant la matinée, était peu profonde et déjà
toute saupoudrée de flocons. Les pelletées de
terre gelée que la femme jetait frappaient le bois
du cercueil avec une sonorité très vivante. A
la fin, Alexeï se pencha pour poser sur le mon-
ticule les dernières mottes de terre. Quand il se
redressa, les arbres, la silhouette de la femme,
les croix s'élancèrent dans une rapide courbe,
volèrent vers le vide éteint du ciel. Il n'eut pas
l'impression de tomber.

La conscience lui revint dans ce mouvement
doux, fluide. Il vit la frange crénelée de la forêt

qui défilait lentement à sa droite, puis, relevant légèrement la tête, observa, d'abord sans comprendre, ces deux jambes, ces grosses bottes de soldat qui glissaient sur la route gelée. Il devina que c'était lui-même, ce corps inanimé que la femme traînait sur sa luge. Les bottes glissaient tantôt sur le dos du talon, tantôt sur le côté. Les paupières mi-closes, il suivait cette traction un peu cahotante et sentait que rien ne lui appartenait, ni l'ombre transie qu'était ce corps, ni ce que ses yeux voyaient, ni ce qu'on voyait de lui. Il ne restait rien de lui. Devant une montée, la femme s'arrêta pour reprendre son souffle. Ils se regardèrent longuement, immobiles, silencieux, comprenant tout.

Elle passait ses journées à une dizaine de kilomètres du village, sur la rive escarpée d'un fleuve où, jusqu'à la nuit, une fourmilière humaine remuait autour du chantier d'un pont. Il n'y avait pratiquement que des femmes. Elles travaillaient sans déjeuner, pataugeant dans le mélange d'argile et de glace, couvrant la neige de leurs crachats de sang. Les premiers convois de guerre devaient coûte que coûte traverser le pont avant la fin de mars. C'était, leur disait-on, l'ordre de Staline lui-même.

Elle rapportait du pain, du poisson sec, mais surtout les « dons de la forêt », comme elle expliquait en souriant : des pignons, des jeunes pousses de sapins qu'elle mettait dans la bouillie de semoule. Avec étonnement, il se sentait de plus en plus distinct du vent, de la terre, du froid dans lesquels il avait failli se fondre. Mais plus surprenante encore était la simplicité de ce bonheur : la ligne tiède où le corps de la femme touchait le sien, la nuit. Juste cette ligne, une frontière douce, vivante, plus solide qu'aucune autre vérité de ce monde.

Une nuit il se réveilla, se vit seul, entendit derrière la porte de la cuisine l'étouffement d'une quinte qui se calmait. Souvent la femme se réfugiait là pour cacher son mal. Il resta allongé, les yeux ouverts, sentant avec intensité la vie revenue en lui, le plaisir de respirer, l'acuité retrouvée de la vue. La lune finement découpée dans le noir laissait deviner une nuit singulière, suspendue à la fragilité de la première tiédeur du printemps. Il se reconnaissait à peine dans ce retour. Il était un autre. « Un homme, pensait-il, qui est couché près d'une fenêtre, dans une maison inconnue, dans un village qu'il ne pourrait pas retrouver sur une carte, un homme qui a vu tant de gens mourir, qui a beaucoup tué, qui a failli mourir lui-même et qui regarde maintenant ce fin croissant de lune dans un ciel attiédi. »

Derrière la porte, la toux reprit, se noya dans un bout de tissu. Il pensa à la souffrance de celle qui l'avait accueilli, à l'épuisement de cette femme, à sa maladie. Et se rendit compte qu'il y pensait pour la première fois et que c'était le signe de sa propre guérison. Il pensa qu'il devait y avoir un nom pour dire, une clef pour comprendre cette souffrance et cette lune, et sa vie devenue méconnaissable, et surtout la simplicité avec laquelle deux êtres pouvaient se donner non pas l'amour, non, mais cette paix, ce répit, cet oubli qui tenait dans la seule chaleur d'une main.

Le lendemain, il alla jusqu'au chantier du pont. La journée résonnait de soleil, de ruisseaux libérés par la neige. Encore faible, il avait pourtant la joyeuse sensation de repousser la terre à chaque pas.

La construction touchait à son terme. Les ouvrières préparaient la voie d'accès. De leur masse montait un brouhaha de voix rauques, de toux, de jurons. Il s'en alla, de peur d'être vu par la femme qui l'avait guéri. Ou plutôt de la voir au milieu de ce frottement de vestes ouatées couvertes de terre, de ces visages creusés par la faim. Entre deux poteaux, à l'entrée du pont, il lut ce slogan : « Tout pour le front ! Tout pour la victoire ! »

Le train qui, une semaine plus tard, l'emmenait à la guerre traversa ce pont. Le même grouillement humain recouvrait la berge sous les bourrasques d'une neige humide. Alexeï pensa que se jeter de nouveau sous les balles aurait désormais pour lui un sens personnel. Non pas le sens d'un exploit, ce qu'il essayait de chercher avant. Tout simplement, la fin de la guerre qui serait aussi la fin, pour ces femmes, du piétinement dans la boue, dans la grossièreté des voix, dans le désespoir.

Il se rappelait aussi ces paroles qu'il avait interceptées par hasard dans la conversation des officiers : « Non, mais à la victoire, il va y avoir une amnistie, c'est sûr. On relâchera ceux qu'on a emprisonnés avant la guerre... » Au milieu des combats de cette dernière année de guerre, il se surprenait souvent à répéter intérieurement ces paroles, s'interdisant de penser à ses parents et ne pensant qu'à eux, comme dans une prière inconsciente : « Avant la guerre… »

Il est probable que cette prière se disait en lui lors d'une halte où il vit ces jeunes soldats qui, par désœuvrement, jouaient à poursuivre un écureuil. La bête affolée sautait au milieu d'un bouquet de longs trembles et les soldats, fous de joie, secouaient les troncs, la chassant d'un arbre à l'autre. L'écureuil finit par culbuter, tué non pas par la chute mais par le violent fouet d'une branche. Les soldats le ramassèrent, s'amusèrent à le faire tourner en lui serrant la queue, le jetèrent.

« Avant la guerre… » Alexeï ramassa la petite bête, sentit un peu de chaleur sous la fourrure coulée dans sa paume. Les soldats descendaient vers la rivière, assoiffés après leur jeu. Il devina soudain en lui la présence d'un autre, présence étonnamment sensible sous l'armure d'indifférence et de rudesse qu'il s'était forgée, jour après jour, durant les combats. « Avant la guerre… »

L'appel d'un officier le surprit encore dans cette vie oubliée. « Dis-moi, Maltsev, tu sais conduire ? »

Alexeï répondit, égaré toujours dans un lointain ailleurs : « Oui... J'avais le permis... »

S'il n'avait pas eu dans sa main le corps tiède de l'écureuil, il aurait dit « non », avec une vigilance devenue machinale. Celui dont il portait le nom, ce Sergueï Maltsev, était venu au front d'un village perdu et avait peu de chance d'être automobiliste. Mais il répondit encore absent, encore avec sa voix ancienne. « Avant la guerre... »

C'est ainsi qu'il remplaça le chauffeur, blessé, d'un général, de ce Gavrilov dont il ne connaissait, auparavant, que le nom.

Un écureuil, la réponse imprudente donnée à l'officier, sa nouvelle affectation qui probablement lui sauva la vie dans ces mois meurtriers des dernières batailles, les jeunes soldats rieurs qui avaient poursuivi la bête et qui, pour la plupart, avaient été tués depuis, le défilé des villes en ruine et des villes préservées dans leur propreté européenne, et les ciels chargés de bombardiers et les ciels intacts, avec la provocante insouciance des nuages, des oiseaux, du soleil... Il y pensa souvent, conscient que ce flux désordonné de la vie et de la mort, de la beauté et de l'horreur devait avoir une signification cachée, une clef qui les aurait rythmées dans quelque harmonie tragique et lumineuse.

Mais tout restait accidentel, comme cette explosion qui projeta, un jour, leur voiture hors de la route, l'assourdit, l'obligea à porter le général contusionné, à piétiner de longues heures à travers une forêt humide, striée de petits courants d'eau glaciale. Quand le général revint à lui, quand il apprit qu'Alexeï, touché lui-même par un éclat, l'avait porté sur de longs kilomètres, il annonça d'un ton solennel, teinté de larmes : « Bon, Maltsev, considère que désormais tu es pour moi comme un fils. » Alexeï l'écouta, gêné par cette effusion, intrigué seulement par un détail : le nom d'une ville qu'il avait aperçu sur un panneau, en traversant une route, courbé sous le poids du général. Salzbourg… Et sur cette route, malgré la fatigue et la douleur, il avait perçu un rappel lointain, brouillé par le battement du sang dans ses tempes et par les gémissements du général. « Avant la guerre… »

Plus difficile encore à déchiffrer dans ce flot de hasards, heureux ou pénibles, fut la fin de la guerre. Car ni lui ni le général ne l'avaient remarquée. La division que Gavrilov commandait se battait en Autriche, où la guerre se poursuivit deux bonnes semaines après la victoire fêtée à Berlin. La voiture du général sillonnait les routes creusées d'obus, on voyait les soldats qui se jetaient dans des corps à corps, le poste de commandement résonnait de voix enrouées qui hurlaient des ordres dans les combinés chevrotants.

Et puis, un après-midi, ce fut le silence, la victoire déjà lointaine, et la souriante banalité des paroles de ce jeune lieutenant qui interpella Alexeï, la main sur la poignée de la portière : « Ah, Maltsev, je te cherche depuis deux jours ! Dis donc, on a l'air important dans sa grosse bagnole. On ne reconnaît plus les vieux amis… » Il continua à plaisanter tandis qu'Alexeï essayait de deviner derrière ces bribes de ricanements le passé qui lui était inconnu : cet ami, ancien camarade d'école, la vie dans leur village natal… « Les tiens ne savaient plus quoi penser. Tout le monde te croyait mort ou disparu. Pourquoi tu n'écrivais pas, fils de chien ! Bon, dès qu'on est démobilisés, on rentre et on va fêter ça, d'accord ? Et ne t'en fais pas pour la cicatrice, les filles vont aimer, et même encore plus ! »

Il vécut dans l'illusion d'un passage immédiat de Vienne à Moscou, comme si les rues des deux villes se prolongeaient les unes dans les autres, sans frontières. La rencontre avec le lieutenant, l'angoisse de cette vie qui le guettait, de la vie volée à un mort avaient compressé ces semaines de rapatriement, confondu les deux villes, jeté sa voiture directement du Graben sur l'Arbat.

Et lorsque, un jour, après avoir déposé le général à son domicile, il gara la voiture sur les boulevards et s'engouffra, à pied, sous leur verdure, cette Moscou lui parut bien plus irréelle que les villes étrangères qu'il avait traversées.

Dans la cour, un enfant zigzaguait sur son vélo autour d'un bac à sable, les roues répétaient le même grincement aigu qu'autrefois. Alexeï crut, un instant, que l'enfant lui-même n'avait pas changé, que c'était toujours ce garçon qui, dans un passé devenu improbable, avait levé les yeux vers un jeune homme caché derrière une fenêtre poussiéreuse. Sur un banc, un joueur d'échecs se penchait sur ses manœuvres. Le même? Un autre? A l'extrémité du banc était assis un homme, jeune encore, unijambiste. Il lisait un journal humoristique et de temps en temps éclatait de rire. On voyait qu'il était déjà habitué à son état et qu'il avait étudié des positions confortables pour son corps mutilé. A chaque esclaffement, le joueur d'échecs sursautait, se redressait, fixait le visage rieur du soldat, sans comprendre.

Alexeï enfonça sa casquette sur son front, monta l'escalier. Une flopée de gamines jaillit d'un palier, se précipita en bas en une cascade pépiante. Il se rendit compte que les années écoulées le masquaient mieux que la visière de sa casquette.

Sur le mur, à côté de la porte de leur appartement, il vit les boutons de trois sonnettes, trois rectangles de papier avec des noms. Un appartement communautaire... Descendu dans la cour, il repéra sur la façade ces deux fenêtres : la cuisine, la chambre de ses parents. Du linge y pendait, abondant et très varié. Cet irrésistible enracinement de la vie lui parut à la fois touchant et inutile.

Durant ces premières semaines à Moscou, il entendit souvent parler des prisonniers amnistiés qui, sans avoir le droit de venir dans les grandes villes, pouvaient s'installer dans l'Oural, en Sibérie, en Asie centrale. Il imaginait ses parents dans l'un de ces endroits reculés, se disait qu'avec le temps, en menant des recherches prudentes, il pourrait les retrouver. Et que désormais seule sa fausse identité risquait de compromettre leurs retrouvailles.

Le général monta encore en grade et travaillait à présent au ministère de la Défense. Il avait sans doute oublié sa promesse de traiter son chauffeur comme un fils mais restait toujours bienveillant et même, un jour d'octobre, au moment où ils arrivaient à son domicile, proposa : « Écoute, tu vas venir avec moi. J'ai des paperasses à rassembler, ça va être long... Si, si, tu ne vas pas te geler dans la voiture par un temps pareil... »

Ils montèrent. Une femme de ménage, âgée, silencieuse, installa Alexeï dans une petite pièce à côté de l'entrée, lui apporta un verre de thé. La pièce, mi-vestiaire mi-débarras, avait une étroite fenêtre, derrière laquelle planaient les flocons de la première neige. Il se sentit tout de suite très bien dans ce réduit, comme si ce lieu marquait enfin un retour. Distraitement, il suivait le glissement des flocons qui semblaient voltiger dans une journée très ancienne, sur une ville oubliée. Le thé avait aussi ce goût d'autrefois. Comme le silence du grand appartement dans la chute du jour. Comme la présence invisible de la femme de ménage qu'il entendit soupirer dans la cuisine. Et soudain, assourdies par le couloir, hésitantes, ces quelques notes. Puis toute une phrase sonore. Puis cette musique.

Il quitta la petite pièce, fit quelques pas dans le couloir, ne voulut pas avancer plus. Ce qu'il vit lui suffisait. Cette robe d'un velours bleu foncé, le reflet de cheveux clairs, cette main droite qu'il voyait quand elle glissait vers les aigus, la main gauche dont il devinait la pression sans la voir. Il restait immobile dans le crépuscule de ce couloir, l'épaule contre le mur, conscient que l'univers venait d'atteindre sa perfection. Cette neige derrière la fenêtre, le mystère de ce grand appartement inconnu, cette musique. Surtout l'imperfection de cette musique! Car les mains se heurtaient de temps en temps à un alliage de notes difficiles à dissocier, revenaient en arrière, reprenaient leur élan. Ces errements, il le sentait, étaient nécessaires à la plénitude qui venait de se révéler. Il était impossible d'y ajouter quoi que ce soit. Juste, peut-être, ce coup d'œil de la vieille femme de ménage qui, muette, traversa le couloir et eut pour lui un bref regard qui lui sembla compréhensif et amer. Rien d'autre.

Pourtant, ces minutes qui lui auraient suffi se prolongèrent et donnèrent naissance à de nouvelles attentes dans la petite pièce, puis à la première rencontre («Ah, vous êtes donc... oui, Papa nous a parlé de vous... ») et à d'autres rencontres, et à la beauté du visage ouvert et sou-

riant de cette jeune fille de dix-sept ans, à la fragilité de cette main lors de leur premier contact
(« Stella… C'est Maman qui a voulu ce prénom…
Je le trouve horriblement comique avec mon
patronyme de Vassilievna, n'est-ce pas ? »), à la
certitude que la touche bleu foncé du velours
était la composante même, à la fois évidente et
codée, du bonheur. Et que les autres compo-
santes étaient ces flocons derrière les vitres, ce
début de crépuscule, ces notes dont le flottement
laissait parfois deviner la faiblesse juvénile des
doigts.

Il vivait cet amour au passé, entraîné vers les
années de grande peur où il ne rencontrait que
les masques au long nez, ces trois années durant
sa jeunesse où il aurait dû vivre exactement ce
qui arrivait aujourd'hui : cette rencontre avec une
jeune fille de son âge, un premier amour. Il avait
vingt-sept ans à présent. La jeune fille au piano
rendait cette question d'âge sans objet car il se
sentait en dehors du flux habituel des jours, dans
un temps dédoublé, dans une rêverie qui lui
laissait revivre ces trois années passées au milieu
des masques.

Parfois, il s'éveillait, observait sa vie comme par-delà la rampe d'un escalier, éprouvait un vertige : tant de vivants et de morts le séparaient de la jeune fille au piano. Il serrait ses poings, ces doigts puissants, marqués de cicatrices, se souvenait que ces mains avaient tué, avaient appris à manier avec assurance la chair féminine – la chair de cette femme aux yeux jaunes de félin qu'il avait rencontrée à l'anniversaire d'un ami, à la fin de l'été, une femme qu'il avait prise à moitié endormie, ivre, en éprouvant presque du dégoût pour ce grand corps indifférent et paresseux... A ce souvenir, il se disait qu'il aurait mieux valu rester dans la voiture, ne pas accepter l'invitation du général... Mais dans la petite pièce où il prenait le thé et que le général, matelot dans sa jeunesse, appelait le « nid-de-pie », il oubliait tout, se confondait avec l'ondoiement de la neige, avec l'écho des notes, avec l'attente des pas dont il connaissait la rapide cadence et de cette voix : « Mais pourquoi vous restez ici, dans l'obscurité ? Venez... »

Stella le plaçait à côté d'elle, se mettait à jouer, lui demandait parfois de tourner les pages de la partition : « Je vous ferai un signe, comme ça, avec mon menton. » Il s'exécutait, observait ce visage, faisant semblant de guetter le signe, parfois jetait un coup d'œil sur la partition et détournait rapidement les yeux.

Elle trouva en lui cette matière à rêver qui se laissait facilement sculpter par son imagination de jeune fille. Ce Sergueï Maltsev était quelqu'un de suffisamment défini : originaire d'un petit village, homme de vingt-sept ans (c'est-à-dire presque un vieillard pour elle qui en avait dix-sept), et cette horrible balafre qui lui barrait le front. Donc un homme qui, de toute évidence, n'était pas celui qu'elle attendait secrètement.

Mais, d'autre part, il était suffisamment énig-matique : un homme qui avait déjà certainement fait bien des conquêtes féminines et qui pourtant, d'après le père de Stella, vivait seul, quelque part dans les rues enneigées de la périphérie de Moscou, un homme silencieux qui souvent rame-nait le général à la tombée de la nuit et dispa-raissait dans cette nuit, au volant de la grande voiture noire, sous les trombes de la pluie ou les tourbillons de la neige. A ces moments-là, il se laissait facilement imaginer dans l'habit d'un mystérieux inconnu dont elle redessinait sans cesse le visage et le destin. D'ailleurs, son père n'avait-il pas dit un jour que pendant la guerre ce chauffeur lui avait sauvé la vie ?

Peu à peu elle se prit à son propre jeu. Elle avait besoin de cet homme qui buvait son thé dans le « nid-de-pie ». Besoin de l'appeler, de voir son visage, d'oublier son visage, de ne plus voir son uniforme de soldat, de l'imaginer pâle, fin, beau (il l'était à sa façon, mais autrement), d'habiller cette ombre de noir, de la pousser sur scène, dans les intrigues inventées la veille.

Au reste, elle n'exigeait de ce figurant que d'écouter ses gammes, de tourner les pages des partitions. Un jour, il laissa passer le geste énergique du menton, leur signe convenu. Elle interrompit son morceau, le vit assis très droit sur sa chaise à côté d'elle, les paupières fortement plissées, comme dans un accès de douleur.

« Vous n'êtes pas bien ? » l'interrogea-t-elle, inquiète, touchant sa main. Il ouvrit les yeux, marmonna : « Si, si, tout va bien… », le regard fixé sur ces doigts qui effleuraient sa main. Après une seconde d'embarras, elle s'exclama : « J'ai une idée de génie ! Je vais vous apprendre un peu à jouer ! Mais si, mais si, c'est facile comme tout, juste une petite chansonnette d'enfant… »

La mélodie s'appelait *Petit Soldat de plomb*. Alexeï se révéla un élève maladroit et aux capacités médiocres. Stella se voyait souvent obligée de tirer ces doigts rigides, de les guider vers la bonne touche.

Grâce au *Petit Soldat de plomb*, elle put enrichir ses mises en scène. L'homme qu'elle avait à sa disposition pouvait être grondé, flatté, gentiment martyrisé, complimenté pour un arpège bien joué, consolé après une erreur. Elle découvrait l'un des attraits les plus intenses de l'amour, celui de se faire obéir, de manipuler l'autre et, avec son consentement fervent, de lui enlever sa liberté.

Le silence de cet homme qui buvait tranquillement son thé, dans l'attente du général, ne pouvait plus la satisfaire. Elle voulait à présent le faire parler, lui faire raconter sa vie, la guerre, s'émerveiller ou être jalouse en écoutant ses récits.

Un jour, interrogé avec insistance, il essaya de sonder ce passé de guerre et se sentit désemparé devant ces souvenirs où tout débouchait sur les ruptures, la solitude, la mort. Il devinait qu'elle attendait de lui une histoire d'amour sur fond de guerre, mais sa mémoire se débattait entre des corps d'hommes mutilés, entre des corps de femmes possédés à la hâte et emportés dans l'oubli. Restait cette odeur de teinture d'iode sur les mains d'une femme, mais comment en parler, surtout à cette jeune fille qui le regardait, les yeux grands ouverts ? Parler de lui ? Mais qui était-il ? Ce soldat qui, après un corps à corps, se lavait dans une flaque d'eau et l'eau devenait rouge, de son sang et du sang de ceux qu'il venait de tuer ? Ou ce jeune homme qui secouait un mort pour lui enlever sa botte ? Ou bien cet autre, guettant derrière une fenêtre poussiéreuse, dans une autre vie, dans un passé interdit ? Non, le plus vrai dans ces années était ce jour où il avait perdu connaissance au cimetière, où il était pour ainsi dire mort et où n'existait entre lui et le monde que cette ligne vacillante : une femme inconnue dormant à côté de lui et lui donnant sa tiédeur...

Bousculé par ses questions, il se mit alors à parler de l'écureuil : une halte, une belle journée de printemps, cette petite bête qui vole d'un arbre à l'autre. Il se rappela soudain la fin de l'histoire, s'interrompit, s'embrouilla, inventant un vague dénouement heureux. Stella sourit d'un air boudeur : « Papa me disait que vous vous étiez battu comme un héros... Et vous, un écureuil ! Pfut... »

Il se taisait, se souvenant de la chaleur lisse de la fourrure dans sa paume. Tout ce qui avait suivi était lié, il le comprenait maintenant, à cette bête tuée : et son affectation auprès du général, et très probablement sa survie, et sa venue à Moscou, et la rencontre avec cette jeune Stella qui était en train de le taquiner. Elle dut deviner que cet homme qu'elle croyait avoir apprivoisé, domestiqué, cachait dans sa vie, comme dans un souterrain caverneux, des actes inavouables, des hontes, des douleurs. Et qu'il se tînt devant elle confus et manquant de mots lui donnait un air enfantin.

« Je ne voulais pas vous blesser. Au contraire, c'était très amusant cet écureuil... », dit-elle, et elle posa sa main sur la sienne qui tenait encore la tasse avec du thé froid. L'instant dura. Derrière la fenêtre, le crépuscule s'imprégnait d'un bleu foncé. Les rameaux de givre sinuaient sur la vitre. Quelque part au fond du couloir, on entendait la voix du général qui grommelait au téléphone. Elle secoua doucement sa main comme pour le réveiller : « Nous allons répéter notre *Soldat de plomb*, vous voulez ? »

Elle ne remarqua pas elle-même à quel moment, durant ces semaines de grands froids, l'histoire qu'elle imaginait se confondit avec la réalité. Ce fut peut-être le soir où elle lui proposa de se tutoyer. Ou plus tard, quand ils se croisèrent devant la porte de l'immeuble : lui venait de ramener le général, elle rentrait de son cours de musique. D'un pas résolu, elle monta à côté de lui et ils firent un tour à travers les rues de Moscou, progressant lentement dans les bourrasques blanches.

Ou plutôt cette nuit-là. Ses parents, partis à Kiev pour l'anniversaire d'un vieux compagnon d'armes du général, voulurent y rester un jour de plus et demandèrent à Stella de prévenir le chauffeur. Quand, après les avoir attendus en

vain à la gare, Alexeï sonna chez eux, elle men-
tit : son père, disait-elle, devait appeler tard dans
la nuit... Alexeï vit qu'elle avait mis une robe de
batiste claire, une robe d'été, et relevé ses boucles
en une coiffure haute qui lui donnait un air solennel. Ses joues brûlaient comme d'une fièvre.

Héroïquement, elle joua la nonchalance, l'in-
vitant au salon, lui proposant de dîner (« Ils vont
peut-être téléphoner seulement à une heure du
matin. Il ne faut quand même pas qu'on meure de
faim... »), ouvrant une bouteille de vin. Son corps
sous le tissu très fin de la robe frissonnait, ses
gestes trahissaient une brusquerie mal maîtrisée
qu'elle essayait de faire passer pour une décon-
traction bravache. Alexeï se rendait compte que
tout avait été si bien, si fébrilement bien préparé
dans cette soirée improvisée qu'il lui restait juste
le rôle de comparse. Cette mise en scène aurait
pu être jouée sans lui, dans les rêveries de Stella.

Mais il était là et comprenait que d'une
minute à l'autre viendrait son tour de jouer, de
répliquer, d'incarner un personnage à la fois
évident et absurde.

Il se penchait pour ramasser tantôt une
serviette, tantôt un bout de pain que dans son

excitation elle laissait tomber, versait du vin, obéissant à un geste théâtralement impérieux de sa main, mais surtout, profitant de son état d'ombre, observait cette jeune fille qui paraissait presque déshabillée dans sa robe d'été. Ses bras nus avec des veines bleutées qu'on eût dites tracées à l'encre d'écolier, ce cou rosi par l'émotion, cette taille très fine et, quand elle se tournait vers le fourneau, le relief fragile de ses omoplates. Il écoutait sa voix de plus en plus sonore et exaltée, devinait qu'approchait ce moment où il faudrait entourer ces épaules, sentir la fragilité de ces omoplates dans ses mains.

Il ne la désirait pas. Ou plutôt c'était un désir tout autre. Pour cette nuit avec elle, il aurait été prêt à... Il se voyait revivre toutes les années de guerre et sentait qu'il les aurait retraversées, pour cette seule soirée. Mais ce qui se jouait, ce soir-là, se destinait à quelqu'un d'autre que lui.

Elle avait déjà bu trois verres et le regardait avec une crânerie agressive et en même temps désarmée qui le peinait. « Il faudrait peut-être les appeler », suggéra-t-il, jetant un coup d'œil sur l'horloge. « Non... Il est encore beaucoup trop tôt ! » coupa-t-elle et, en battant dans ses mains, elle déclama avec la voix d'un annonceur de numéros de cirque : « Et maintenant, notre programme musical ! »

Elle pivota sur le tabouret, attrapa une partition, lui fit signe de venir. Il vit que c'était l'élégie de Rachmaninov qu'elle avait plusieurs fois étudiée sans succès. Elle attaqua, réussit avec le courage de l'ivresse à surmonter les premières embûches, échoua à la suivante. Recommença, ne cachant plus sa colère, trébucha...

Il l'écoutait, les yeux mi-clos, absent. A la troisième reprise, presque désespérée, et à une nouvelle hésitation, il murmura, sans s'en rendre compte : « Il y a un dièse, là... »

Elle s'interrompit, le regarda. L'effort de la lecture avait dû, un instant, lui clarifier l'esprit. Elle vit cet homme, assis à côté d'elle, immobile, paupières fermées, un homme qu'elle avait cru capable (« Je suis vraiment ivre », pensa-t-elle) de dire ce qu'elle venait d'entendre. Il avait l'air très vieilli, épuisé, et la cicatrice sur son front laissait paraître les piqûres roses des points de suture.

Il s'éveilla en l'entendant pleurer. Les coudes sur le clavier, elle sanglotait, essayant de parler :

« Tu peux t'en aller. Ils arrivent seulement demain Il faut être à la gare à neuf heures… » Malgré ces larmes, sa voix garda une légère tonalité de secret. Elle avait préparé cet aveu pour sa mise en scène nocturne.

Il y eut enfin cet autre soir, en mars, où les rues, les routes, les maisons disparurent sous une tempête de neige, la dernière de cet hiver-là. Et ce fut aussi la dernière fois que le général l'invita à boire le thé dans le « nid-de-pie ».

Stella vint le rejoindre, ils restèrent un moment à regarder le déchaînement blanc derrière la vitre. En entrant, elle avait fermé la porte, et c'est assourdie par l'interminable couloir que leur parvint la voix de sa mère qui appelait la femme de ménage : « Véra, donne un coup de serpillière dans l'entrée, il a encore mis de la neige partout, ce chauffeur. » Stella grimaça, fit un mouvement comme si elle avait voulu rattraper ces paroles, puis soudain s'inclina vers Alexeï, assis, sa tasse de thé dans les mains, et l'embrassa. Il sentit ses lèvres sur son front, sur la marque de la cicatrice… Dans le couloir, on entendait le frottement du torchon sur le parquet.

Le lendemain, il partait avec le général qui devait inspecter plusieurs garnisons dans le Nord.

Le voyage d'inspection dura près d'un mois. Ils sillonnaient des contrées encore figées sous les glaces, longeaient la mer Blanche, traversaient des forêts où aucun frémissement de printemps ne se faisait pour l'instant sentir. Comme si l'hiver était revenu. Comme si étaient revenus les jours de guerre avec ces colonnes de soldats que le général passait en revue, ces chars dont les chenilles concassaient la terre gelée, ce béton morne des fortifications.

Sur le chemin du retour, ils avaient l'impression, à chaque kilomètre, de brûler les étapes en regagnant le printemps. Et des hivers de guerre il ne resta que cette plaque de glace sur laquelle, un jour, le général glissa et se foula la cheville. Alexeï dut le porter jusqu'à la voiture. « Tu te rappelles, Sergueï, comment tu m'as traîné, au front, au nez des fritz, sur douze kilomètres ! » dit-il en poussant de petits rires. Et, sans se l'avouer, ils pensèrent que la guerre était vraiment du passé, si l'on pouvait en rire.

A Moscou, ce rire printanier résonnait partout. Dans le soleil d'avril qui brûlait la peau déjà comme en été, dans le cliquetis des tramways sur l'acier brillant des rails, dans l'insouciance des visages de ces foules de jeunes gens pour qui la guerre n'était plus qu'un souvenir d'enfance. Et il y avait un tel plaisir à rester dehors que le général ne pensait même plus à l'inviter à monter se chauffer et boire le thé.

Stella comprenait que l'hiver avait été un long rêve, tantôt rêve, tantôt mauvais songe, dont à présent elle était bel et bien réveillée. Dans la petite pièce du « nid-de-pie », Véra la femme de chambre entassait les manteaux, saupoudrait de naphtaline les fourrures. L'étroite fenêtre criblée de soleil était condamnée d'un rectangle d'épais carton. Il était impossible d'imaginer dans cet endroit un homme installé sur une chaise, avec sa tasse de thé, un homme défiguré par cette cicatrice blanche sur son front, vêtu d'un uniforme de soldat.

Mais il était encore plus invraisemblable de l'imaginer dans ces rues printanières, lui, marchant à côté d'elle, croisant ses camarades d'école. Non, non! La seule vision de ce couple la mettait hors d'elle. D'ailleurs comment avait-elle pu croire qu'un jour elle pourrait révéler l'existence de cet homme à ce cercle d'amis où l'essentiel de sa vie se concentrait à présent? Leur parler de ce dîner avec lui, de ces sanglots stupides? Non, c'était une longue hallucination hivernale que le soleil avait dissipée.

Elle n'aimait pas s'avouer que cette chimère l'avait enrichie, que, grâce à ce soldat caché dans le « nid-de-pie », elle avait appris une multitude d'astuces féminines, si utiles dans le maniement d'un homme, qu'il avait été son jouet, qu'elle s'en était servie. Pour faire taire ces petits aveux dérangeants, elle se mit, une fois, à jouer la chanson du *Petit Soldat de plomb*, essayant d'imiter les erreurs qu'il commettait d'habitude, en rit presque sans se forcer. Puis joua la *Valse des colombes* qu'elle lui avait également apprise, mélodie bien plus joyeuse, mais qui soudain la rendit triste.

Elle éprouva la même tristesse quand, un jour, elle l'épia par la fenêtre du salon. La voiture était garée devant l'entrée, en attente du général. Stella voyait la portière ouverte, une main tenant une cigarette, et dans le reflet du pare-brise la touche claire du visage. « Il passera toute sa vie à attendre », pensa-t-elle, et elle se sentit coupable car, elle, elle était attendue par trop de belles choses : ce beau printemps puis, après les examens, le bal de fin d'études, puis l'université, cette grisante liberté des étudiants, puis... Elle ne distinguait qu'un vaste flot de lumière dans ces jours à venir.

Dans ces moments de compassion, elle ressentait pour lui aussi de la reconnaissance. Il aurait pu, pendant ce dîner idiot, la déshabiller, la prendre, elle aurait pu tomber enceinte ! L'idée était si menaçante, si compromettante pour son avenir, qu'elle secouait la tête pour s'en débarrasser. Et se mettait à le détester, car il était en fait capable de tout détruire, presque sans le vouloir.

Finalement, ce papillotement de regrets, de joie, de pitié, de colère, de rêves déteints aiguisait encore plus l'excitante nouveauté de ce printemps. La vraie vie allait commencer.

Il ne revit Stella qu'une seule fois durant ces semaines de soleil. Un soir, au lieu de rentrer, il gara la voiture dans la rue, à l'abri d'un kiosque. Il savait que c'était le jour de son cours de musique. Elle surgit, habillée d'un manteau léger, traversa l'allée aux arbres à peine teintés de verdure, sa silhouette se découpa sur le bleu du crépuscule avec une netteté qui lui fit mal aux yeux. Quand elle eut disparu, il garda longtemps la vision d'elle, là, à la sortie de l'allée, et dans sa paume la sensation très réelle de la toucher, de serrer sous ses doigts le fragile dessin de ses épaules. Cette sensation lui était connue : la souplesse de l'écureuil mort dans sa paume.

Il démarra, s'engouffrant dans les rues tantôt bleues, tantôt traversées par les coulées cuivrées du couchant. Il se disait qu'il devait y avoir dans cette vie une clef, un code pour exprimer, en un langage bref et univoque, toute la complexité de ces tentatives, si naturelles et si douloureusement embrouillées, de vivre et d'aimer. Cette belle soirée à Moscou, un an après la fin de la guerre, ce manteau clair disparaissant derrière un angle, l'insupportable mal et l'inutile joie contenus dans cet instant, le souvenir de cet écureuil, et là, au-dessus du pont, ce blanc argenté des nuages, le même que, l'hiver dernier, dans la fenêtre du « nid-de-pie ».

Il lui sembla soudain que ce qui l'avait empêché, tout à l'heure, de descendre de la voiture, de rattraper le manteau clair dans l'allée, n'était que le faux nom qu'il traînait depuis des années. Violemment, il chercha à se convaincre que tout ne tenait qu'à cela.

Le lendemain, il envoya une demande de renseignements concernant ses parents, signée de ce faux nom.

Une semaine plus tard, le général lui dit de monter avec lui dans son bureau, au ministère. Alexeï crut, un moment, que Gavrilov parlerait de Stella, qu'il dirait même : « Tu sais, ma fille m'a dit qu'elle t'aimait… » Cet espoir dément vécut quelques secondes et ne resta que pour lui montrer, par la suite, à quel point on peut être aveugle quand on aime.

« Écoute, Sergueï, commença le général d'un ton embarrassé, on m'a transmis hier une information à ton sujet… de simples potins, j'espère, mais tu sais bien, par les temps qui courent, mieux vaut être vigilant. Il paraît que quelqu'un a utilisé ton nom ou plutôt… comment dire… enfin, ses proches prétendent que tu aurais pris, c'est-à-dire pas toi-même, mais… Bref, ils pensent que leur fils est vivant, ils savent qu'un ami l'a vu juste avant la démobilisation, mais que lui, donc toi, ne veux pas rentrer au village et te caches on ne sait pas bien pourquoi. Ouf, c'est compliqué. En fait, c'est une histoire de fausse identité, quoi. Et avec ça, surtout dans l'armée, on ne rigole pas. Ce n'est pas à toi que je vais l'expliquer. On va au camp pour bien moins que ça… Non, je te le dis simplement pour ta gouverne. Mais si tu sens qu'il y a quoi que ce soit qui ne tourne pas rond, dis-le-moi. Des histoires de ce genre, c'est comme des mines, mieux vaut désamorcer avant que ça pète… »

Le téléphone sonna, le général décrocha, son visage se détendit et il se mit à dicter une longue liste de victuailles, en précisant la quantité de saucissons, d'esturgeons fumés, le nombre de bouteilles de vin… Dans le chuintement du combiné, Alexeï reconnut la voix de la mère de Stella. Il attendait la fin de la conversation pour tout avouer.

Le général raccrocha, se lécha les lèvres avec satisfaction. « On prépare pour demain un sacré dîner. Et les invités en valent la peine. Les futurs beaux-parents. Eh oui, Sergueï, le temps passe vite. Je partais à la guerre, notre petite Stella était une gamine, et voilà qu'on va la marier. Ah, mais le fiancé est un garçon vraiment bien ! Et son père... enfin, c'est entre nous, il a un beau poste à l'Intérieur. C'est d'ailleurs lui qui m'a mis la puce à l'oreille pour cette histoire de faux nom. Tu sais, entre parents... Sinon, ils t'auraient embarqué vite fait. Mais tu m'en parleras après. Quant au dîner, demain, j'aurai besoin de toi du matin au soir, et même la nuit. Stella a invité tous ses camarades. Les fiançailles aujourd'hui, ce n'est pas comme autrefois entre quatre yeux... Il faudra donc que tu les ramènes groupe par groupe, le métro sera déjà fermé. Bref, état d'alerte maximale ! »

On l'installa dans le « nid-de-pie », encombré de manteaux d'hiver. La porte restait entrouverte et il suivait l'arrivée des invités, des couples (les parents du fiancé : l'onde sucrée du parfum de la mère, la voix basse du père), quelques personnes seules, puis de petits groupes de camarades d'école. Certains se trompaient, entraient dans le débarras où il attendait, regardaient avec perplexité cet homme immobile au milieu des manteaux et des piles de cartons, ne savaient pas s'il fallait le saluer ou non. Le général lui demanda plusieurs fois d'aller chercher en voiture tel ou tel invité de marque. Alexeï s'exécutait puis revenait à son guet. Véra, la femme de ménage, lui apporta une tasse de thé, voulut lui parler, se ravisa, sourit seulement, avec une petite crispation d'amertume.

Lui ne ressentait pas d'aigreur, pas de jalousie, tout simplement une douleur si acérée, si égale qu'aucune autre émotion ne pouvait se greffer à son tranchant. Il identifiait distraitement les bruits qui venaient du salon et laissaient deviner le déroulement de la fête. Il y eut d'abord ce joyeux tumulte de voix rythmé de temps en temps par un timbre de basse, puis le claquement d'un bouchon et tout de suite d'un autre, accompagné d'éclats de rire et de criaillements de panique, les paroles du premier toast dites par le général, enfin le cliquètement des couteaux et des fourchettes.

Figé par sa douleur, il n'éprouva rien quand, une demi-heure plus tard, après un chœur de voix suppliantes, la musique résonna. Il reconnut

facilement la polonaise que Stella avait étudiée
l'hiver dernier. Il trouva même que le moment de
cette pause musicale était très bien choisi : entre
le premier verre qui rendait les invités déjà récep-
tifs et la suite des plats et des boissons qui allaient
émousser leurs sens. Il écouta et, malgré son
absence, releva deux ou trois imperceptibles flot-
tements dans ce jeu qui furent comme des rap-
pels secrets adressés à lui et qui l'isolèrent davan-
tage. Le bruit des applaudissements claqua et
ces ovations et quelques « bravo » l'empêchèrent
d'entendre les pas qui parcoururent le couloir.

Déjà le visage de Stella s'encadrait dans
la porte. « Vite ! Viens, c'est très important pour
moi ! » Son chuchotement sentait l'excitation de
l'ivresse, l'ivresse du bonheur plus que celle du
vin.

Perplexe, il se leva, se laissa entraîner par la
main jusqu'au salon.

« Et maintenant, la surprise ! annonça Stella
en tendant les bras vers lui comme pour le
faire acclamer. Notre Sergueï va nous jouer une
petite chanson. J'espère que vous allez apprécier
sa musique et... mon modeste talent de professeur. *Petit Soldat de plomb !* »

Les jeunes applaudirent, les parents et les invités plus âgés trouvèrent la plaisanterie un peu osée mais y allèrent quand même de quelques battements de mains, ne voulant pas paraître trop sévères.

Après l'obscurité du « nid-de-pie », il fut aveuglé par la lumière de ce salon, gêné par tous ces regards fixés sur lui. Cherchant et ne trouvant pas le moyen d'esquiver la torture, il eut le temps de remarquer quelques visages, le collier en grosses perles d'une dame, le fiancé, ce grand jeune homme brun assis parmi les camarades d'école. Dans le regard de Stella, une parcelle de seconde, passa comme une ombre oubliée. Il vit qu'elle portait la robe d'été en batiste claire.

Les applaudissements se calmèrent. Il s'assit sur le tabouret, sentant que sa douleur, ce bloc de glace qui le figeait, se brisait, devenant honte, humiliation, colère, cet idiot empourprement qui montait à son cou, le poids de ses grosses bottes posées sur le nickel glissant des pédales.

Il s'exécuta, comme au temps de leurs leçons, avec l'obtuse application d'un automate. On rit déjà pendant son jeu, tant la vue de ce soldat jouant une chansonnette de soldat était drôle.

Certains jeunes entonnèrent les paroles du refrain qu'ils connaissaient. Le vin commençait à raviver la gaieté. Les applaudissements furent unanimes. « Bravo au professeur ! » cria un invité que Stella gratifia d'une révérence. La basse du père du fiancé tonna au milieu des rires : « Mais dis donc, général, je ne savais pas que dans ton ministère les chauffeurs étaient aussi pianistes. » « Un verre pour le pianiste », scanda l'un des jeunes, encouragé par plusieurs voix. Un verre de vodka passa de main en main en direction du piano. Stella leva les bras et cria pour couvrir les bruits de la tablée : « Et à présent, le clou du programme, la *Valse des colombes* ! »

Alexeï posa le verre, se tourna vers le clavier. Les rires, les conversations se turent peu à peu, mais il attendait toujours, les mains posées sur les genoux, assis très droit, l'air absent. Stella chuchota, comme un souffleur, en lançant un clin d'œil aux invités : « Mais vas-y ! Tu commences par le *do* avec le pouce de ta main droite... »

Quand il laissa retomber ses mains sur le clavier, on put croire encore au hasard d'une belle harmonie formée malgré lui. Mais une seconde après la musique déferla, emportant par sa puissance les doutes, les voix, les bruits, effaçant les mines hilares, les regards échangés, écartant les murs, dispersant la lumière du salon dans l'immensité nocturne du ciel derrière les fenêtres.

Il n'avait pas l'impression de jouer. Il avançait à travers une nuit, respirait sa transparence fragile faite d'infinies facettes de glace, de feuilles, de vent. Il ne portait plus aucun mal en lui. Pas de crainte de ce qui allait arriver. Pas d'angoisse ou de remords. La nuit à travers laquelle il avançait disait et ce mal, et cette peur, et l'irrémédiable brisure du passé mais tout cela était déjà devenu musique et n'existait que par sa beauté.

Dans l'obscurité d'un matin d'hiver, le train semble tâtonner à l'approche de Moscou, entre des faisceaux de rails qui sinuent sous la neige. Les dernières paroles de Berg se confondent avec les pesantes secousses des roues, avec les voix et le piétinement des passagers dans le couloir. Bousculé par cette arrivée qu'on n'espérait plus, le récit hésite, puis s'efface en quelques phrases pressées : les années passées dans un camp (« Je n'ai même pas profité de l'amnistie, à la mort de Staline, je les ai faits mes dix ans, jusqu'au dernier jour »), puis ses venues à Moscou (dans l'espoir de revoir Stella ? il ne le dit pas, n'a plus le temps de le dire), des venues clandestines car il était assigné à résidence dans une petite ville de

Sibérie orientale, une nouvelle arrestation au cours de l'un de ces séjours dans la capitale, trois ans qu'il a purgés près du cercle polaire et où il s'est rendu compte qu'il avait fini par s'habituer à cet enfer de neige... C'est là, sous ce ciel sans soleil, qu'il apprendrait l'année et le lieu de la mort de ses parents.

Le train s'arrête. Nous faisons les premiers pas comme en apesanteur – après des jours et des nuits d'immobilité ils s'impriment dans la neige avec une souplesse de danse. Dans l'air glacé, l'acidité agressive des grandes villes pique les narines. Je longe à côté de Berg un quai obscur, interminable. Les passagers qui descendent de notre train restent un moment indécis, somnambuliques. On sent chez certains l'envie de s'asseoir sur une valise, de se recroqueviller de nouveau dans le sommeil. Berg me devance, je le vois glisser dans la foule ensommeillée qui se traîne vers la gare. Pour une seconde, il devient un passager comme les autres, un provincial débarquant à Moscou, à six heures du matin. Je le regarde marcher et je me dis que c'est ainsi qu'autrefois il abordait la capitale, en clandestin, pressé de se fondre dans la foule. Je me rappelle la fin de son récit : cette Moscou, plus dangereuse que le fin fond de la taïga, Véra, la vieille femme de ménage du général qui jadis lui apportait le thé dans le « nid-de-pie » et qui à présent le renseignait sur la vie de Stella...

Évoquées autrement, ces rencontres manquées auraient pu tracer une belle histoire tragique. Mais elles étaient dites confusément, au milieu des bruits d'un train arrivant dans une grande ville noire et glacée. Elles avaient été sans doute vécues ainsi, dans la confondante simplicité avec laquelle se vivent les vies brisées.

Nous entrons dans le hall d'une hauteur démesurée et au milieu de ce vide, là où rien de personnel ne semble pouvoir se dire, Berg me confie, sans tourner la tête :

– Son mari a eu quelques ennuis au travail au moment de la déstalinisation. Il s'est mis à boire, l'a quittée... Elle est morte au début des années soixante, d'un cancer. Leur fils avait sept ans. J'ai fait ce que j'ai pu, en passant par un ami. Un peu d'argent, chaque mois. J'étais resté dans le Nord, un travail de fous par moins cinquante, « douze mois d'hiver, le reste c'est l'été », comme on dit là-bas, mais un très bon salaire. Seulement,

il ne fallait pas que l'enfant sache. J'étais encore
fiché comme récidiviste...

Il me regarde avec un sourire, me tend la
main :

— Allez, bon voyage, et sans rancune.

Je lui serre la main, je le vois s'éloigner. La
place des Trois-Gares est lugubre à cette heure.
Les réverbères la découpent en tronçons bleuâtres.
Les gros camions secouent sa carapace gelée avec
leur vacarme d'acier. Les gens pressés, vêtus de
grossiers paletots gris ou noirs, semblent sortir
de l'époque stalinienne, des années de guerre, de
privations, d'héroïsme muet. Berg se fond dans
leur flux, se dirige vers une bouche de métro, se
perd dans la coulée sombre qui plonge dans l'entrée. Il a le même pas tendu, la même déter-
mination stoïque. Je parviens à le repérer dans
la foule au début de l'escalier, puis il disparaît.
« *Homo sovieticus* », murmure en moi une voix
légèrement dédaigneuse. Je suis trop ensommeillé
pour pouvoir la faire taire.

Je reviens dans le hall. Les heures des trains
au départ, sur le tableau, paraissent surréalistes,
après notre retard, après tous ces fuseaux horaires
que j'ai traversés depuis l'Extrême-Orient, sur-

tout après le temps qu'a inscrit en moi le récit de Berg. Mais le plus étrange est que soudain Berg réapparaît. Oui, il est devant moi, ce n'est pas un songe.

– Je suis parti sans vous demander si vous aviez un point de chute à Moscou. J'espère que vous n'allez pas rester toute la journée à la gare...

Je lui réponds que je ne partirai qu'avec le dernier train, vers minuit, que je compte aller voir un musée et qu'avant j'irai à la première séance dans un cinéma pour dormir. Il sourit, ce projet d'aller dormir au cinéma (dix kopecks la séance, une salle vide et un fauteuil bien au chaud) doit lui rappeler son passé d'errant.

– Écoutez, si vous voulez le conseil d'un vieux Moscovite... (Sa voix ne peut dissimuler une joie cachée.) Vous savez, trouver une chambre d'hôtel à Moscou est plus dur que se loger au Mausolée. Mais j'ai un vieil ami, un récidiviste, comme moi...

Il me guide à travers la ville, du métro au bus, puis à pied en coupant par les cours, toujours avec un peu de brusquerie joyeuse, heureux de retrouver ses marques, de me montrer sa connaissance de la capitale. Je le suis avec résignation, comme un enfant marchant dans un demi-sommeil.

A l'hôtel, la fatigue me terrasse. Je me réveille un moment au milieu de la journée, une vision irréelle se présente à mes yeux : sur le lit de Berg est étendu un costume sombre, on dirait un homme aplati, vidé de sa substance, une cravate est suspendue au dossier d'une chaise, une odeur forte d'eau de Cologne vient de la salle de bains. Je n'ai pas la force d'en chercher l'explication et me rendors aussitôt.

Quand Berg me réveille, je ne le reconnais pas tout de suite. Il a mis le costume qui était étalé sur son lit, la cravate. Ses cheveux sont lissés et brillants.

— Je n'ai pas voulu vous déranger avant, vous dormiez si bien... Mais il est déjà six heures du soir.

Sur la table, je vois deux verres où s'infuse le thé, un thermoplongeur accroché au loquet de la fenêtre.

— Vous allez... au théâtre ? dis-je en essayant de ne pas trahir ma surprise devant le changement.

— Oui... en quelque sorte. Plutôt au concert.

D'ailleurs, je pensais que si cela vous intéressait...

Nous buvons le thé au citron, en mangeant du pain, le même qui était enveloppé dans les feuilles de partitions, quelques rondelles de saucisson sec. Après le repas, je fais ma toilette, Berg me prête une cravate.

Nous arrivons les premiers. La salle, à l'autre bout de Moscou, appartient à la maison de la culture des chemins de fer.

Nous restons un long moment dans un vestibule froid et mal éclairé. Berg, invisible, silencieux sur une banquette, dans un coin, moi faisant les cent pas le long des murs décorés de photos de locomotives – des plus anciennes, trapues, avec leurs cheminées comiquement évasées, aux plus modernes. Je jette aussi un coup d'œil dans la salle. Elle me paraît trop vaste, jamais un concert, surtout dans ce quartier situé au diable, ne rassemblera suffisamment de monde pour la remplir ! Pourtant les gens commencent à affluer, d'abord hésitants comme nous, puis produisant par leur nombre cette légère électricité de chuchotements, d'attente, d'excitation qui précède tout spectacle. Une fois installés ils répandent cette agréable tension dans la salle. «Magie du théâtre! me dis-je. Qu'importe la salle, la scène et ce qui va se passer sur scène. L'essentiel c'est que quelque chose va se passer. »

Berg a choisi un fauteuil au tout dernier rang, là où la lumière ne parvient presque pas. Placés de biais, nous voyons, derrière les plis du rideau écarté, dans cette ombre des coulisses d'où surgissent d'habitude les artistes, une silhouette, l'ovale d'un visage.

– Il doit avoir le trac, murmure Berg, les yeux fixés sur ce recoin.

Il est assis, un peu rigide, l'air lointain et comme rajeuni.

A cet instant le pianiste apparaît, ce jeune guetteur dont nous devinions l'attente derrière le rideau. La salle applaudit avec une parcimonieuse politesse de bienvenue. Je me retourne vers Berg pour lui proposer la feuille pliée du programme. Mais l'homme paraît absent, paupières baissées, visage impassible. Il n'est plus là.

La Fille d'un héros de l'Union soviétique
Éditions Robert Laffont, 1990
Gallimard, « Folio », 1996

Confession d'un porte-drapeau déchu
Éditions Belfond, 1992
Gallimard, « Folio », 1996

Au temps du fleuve Amour
Éditions du Félin, 1994
Gallimard, « Folio », 1996

Le Testament français
Mercure de France, 1995
Prix Goncourt et Médicis 1995
Gallimard, « Folio », 1997

Le Crime d'Olga Arbélina
Mercure de France, 1998
Gallimard, « Folio », 2000

Requiem pour l'Est
Mercure de France, 2000
Gallimard, « Folio », 2001

Saint-Petersbourg
Chêne, 2002

La Terre et le Ciel de Jacques Dorme
Mercure de France, 2003

La femme qui attendait
Seuil, 2004

COMPOSITION : PAO ÉDITIONS DU SEUIL

GROUPE CPI

Achevé d'imprimer en février 2004 par
BUSSIÈRE CAMEDAN IMPRIMERIES
à Saint-Amand-Montrond (Cher)
N° d'édition : 54285-3. - N° d'impression : 040552/1.
Dépôt légal : avril 2002.
Imprimé en France

Collection Points

DERNIERS TITRES PARUS